邓正来选译哈耶克论文集◎第三辑

作为一种发现过程的竞争

——哈耶克经济学、历史学论文集

[英]冯·哈耶克◎著
邓正来◎译

首都经济贸易大学出版社
Capital University of Economics and Business Press
·北京·

图书在版编目(CIP)数据

作为一种发现过程的竞争:哈耶克经济学、历史学论文集/(英)哈耶克著;邓正来译. --北京:首都经济贸易大学出版社,2014.1

ISBN 978-7-5638-2175-4

Ⅰ.①作… Ⅱ.①哈… ②邓… Ⅲ.①哈耶克,F.A.(1899~1992)—经济思想—文集 ②哈耶克,F.A.(1899~1992)—史学—文集 Ⅳ.①F091.352.1-53 ②K095.61-53

中国版本图书馆CIP数据核字(2013)第276552号

根据 The University of Chicago Press 1967/1978 年版翻译

作为一种发现过程的竞争——哈耶克经济学、历史学论文集

[英]冯·哈耶克 著 邓正来 译

出版发行	首都经济贸易大学出版社
地　　址	北京市朝阳区红庙(邮编100026)
电　　话	(010)65976483 65065761 65071505(传真)
网　　址	http://www.sjmcb.com
E-mail	publish@cueb.edu.cn
经　　销	全国新华书店
照　　排	北京砚祥志远激光照排技术有限公司
印　　刷	唐山玺诚印务有限公司
开　　本	710毫米×1000毫米 1/16
字　　数	281千字
印　　张	16
版　　次	2014年1月第1版 2022年10月第7次印刷
书　　号	ISBN 978-7-5638-2175-4
定　　价	40.00元

著作权合同登记号 图字:01-1999-2846号

出版说明

1997 年,我们启动了“诺贝尔经济学奖获奖者学术精品自选集”的出版工作,计划陆续出版诺贝尔经济学奖获奖者的代表性著作,作品的遴选原则以获奖者自己选择为主,对于已经逝世的获奖者,则邀请其家人、同事、学生或国内专家学者代为确定。

1999 年,我们邀请邓正来先生为我们选编、翻译哈耶克的论著,邓先生欣然应允,精选了 25 篇哈耶克的论文,编译为《哈耶克论文集》一书。这 25 篇论文涉及政治学与法学、哲学与社会科学、经济学与历史学等方面,涵盖了哈耶克的主要研究领域,全面展示了其学术成就。本书开篇,邓先生还撰写了长篇评注,系统阐释了哈耶克的主要思想。可以说,这是一部译、著并重的学术精品。书籍出版后,在学术界产生了广泛深刻的影响,此书也成为我们这一系列图书中最具影响力,学术水准和学界关注度最高的作品之一。

书籍出版 10 余年来,我们一直引为骄傲,也对邓先生当年的慷慨支持深为感念。然而世事难料,2013 年 1 月 24 日,邓正来先生因病在上海去世,惊闻噩耗,我们甚为悲痛,也很想以合适的方式向邓先生表达哀思和纪念。经过讨论,我们决定将《哈耶克论文集》一书重新编排后出版,使这部宝贵的学术精品以更为新颖精美的方式呈现于世,既表达我们对邓正来先生的纪念,也借此进一步推动哈耶克、邓正来两位先生思想的传播。

此次出版,我们对原书重新进行了校勘,并将原书内容分为三辑,以丛书“邓正来选译哈耶克论文集”的形式推出。三辑分别是:《民主向何处去?——哈耶克政治学、法学论文集》《知识的僭妄——哈耶克哲学、社会科学论文集》《作为一种发现过程的竞争——哈耶克经济学、历史学论文集》。三辑内容对应于原书的三篇,经重新排版后,版面更为疏朗,装帧更为精美,更便于读者阅读和收藏。对于原书中的文字,除少数错讹之处和个别说明文字加以改动外,一如原貌。

在本丛书的出版过程中,我们得到了邓先生的女儿邓琳的大力支持,邓女士还为我们提供了邓正来先生的照片,对于她的理解和帮助我们深表谢意。

哲人其萎,风范长存。谨以此书纪念邓正来先生!

目 录

第三辑 ◎ 经济学和历史学

经济学、科学与政治学***

一

对于一个大学教师来说，承担新的职责和进入一个新的活动领域，可以说是他阐明他为之努力的目标的一个极为珍贵的机会。显而易见，当这个大学教师——他在此前已经在世界各地进行了长年的研究而且在此期间他在研究方面所投入的精力也远远大于他在教学方面投入的精力——在他希望于后半生的岁月里把他的经验心得传授给其他人的地方做第一次演讲的时候，这就更是一个弥足珍贵的机会了。

我不知道自己为什么会有这么好的运气，竟然能够在一生当中第三次享受到大学赋予我的这项荣誉***，并且使我得到了一个如果我在这方面享

---

* 本文译自哈耶克著：*Studies in Philosophy, Politics and Economics*, The University of Chicago Press, 1967, pp. 251 ~ 269。

** 本文是我（哈耶克）于1962年6月18日受聘弗赖大学政治经济学教授一职所做的就职演讲文稿。德文原稿发表时标题为：*Wirtschaft, Wissenschaft und Politik*, 1963，注释是在翻译成英文时加上的。

*** 根据我对哈耶克生平的了解，这是指伦敦大学、芝加哥大学和弗赖堡大学。——邓正来注

有绝对自由选择权的话我肯定会选择的教席。我这次搬到欧洲的心脏弗赖堡(Freiburg),它正好位于维也纳和伦敦的当中——我的知识品格就是在这两个地方形成的——而且还属于新奥地利(Vorder-Osterreich)[1];当我在北美大陆生活了十来年以后,这次来弗赖堡教书对于我来说真的有一种回家的感觉,尽管我到弗赖堡只有几天。我不仅珍惜这种像似回家的感觉,而且也特别珍视再一次能够在一个法学院教书的机会,因为我当时就是在法学院这种氛围中接受教育的*。在我努力向那些没有法律知识或法制史知识的学生教授经济学的知识长达30年以后,我有时候很想追问这样一个问题,即从根本上讲,把法律研习与经济研习分离开来的做法难道就不可能是一种错误吗?就我本人而言,尽管我对实在法(positive law)知之甚少,但是无论如何,我都始终感激这样一段亲身的经历并从中受益匪浅,即在我当年开始研习经济学的时候,经济学的研习只是作为法律研究的一部分而成为可能的。

特别值得一提的是,我与贵校同仁之间的私人交往使我几十年来一直与贵校保持着联系。很早以前,我与贵校的一些同代学人因信念相同而彼此相识并保有联系。然而颇为遗憾的是,这些私人联系却因那些同代学人

* 实际上,在大学期间,哈耶克在选择研读心理学和经济学之间一直举棋不定。但是第一次世界大战后,没有人再留下来教授心理学,从而获得心理学领域的学位也就无从谈起了。关于这段经历,哈耶克后来回忆到,Stohr去世以后,大学里也就没有再教授心理学的老师了,所以他只能转而学习法学和经济学。值得注意的是,当时,法学作为一门学科一直保留了下来,但是它却把经济学同律师职业或公务员职业的预习结合在一起。哈耶克仅用了三年的时间而不是常规的四年时间,便完成了他第一个学位的学业,并在1921年获得了法理学博士学位。随后他申请注册了第二学位的研习,并于1923年初又获得政治科学博士学位。(参见S. Kvesgp & L. Wenar, *Hayek on Hayek*, London: Routledge, 1994, p. 44)。——邓正来按

的英年早逝而中断了。具体而言，由于研究兴趣相同，我在很长的一段时间中一直与阿道夫·兰普（Adolf Lampe）和阿方斯·斯密特（Alfons Schmitt）保持着联系，偶尔还通过信函交流观点。阿方斯·斯密特是我此项教职的前任，很遗憾我从来没有见过他。除他们两人以外，我还与莱奥哈德·密克斯奇（Leonhard Miksch）为阐释自由社会的经济哲学做过合作的尝试。然而到目前为止，对我来说最为重要的则是我与瓦尔特·奥肯（Walter Eucken）之间长期保持的那段令人难以忘怀的友谊。当然，这种友谊实是以我们之间对科学问题和政治问题的看法的高度一致性为基础的。在他生命的最后四年里，这种友谊还促使我们进行了紧密的合作。因此，我想借此机会告诉你们奥肯于此期间在世界上所赢得的杰出声誉。

15 年以前——亦即第二次世界大战刚结束不到两年的那段时间里——我着手召集一个由西方世界特别关注维护个人自由的经济学家、法学家和历史学家参加的国际会议*。这次会议后来在瑞士举行。当时，不仅一个德

---

* 哈耶克在这里所说的国际会议，也就是哈耶克于 1947 年主持召开的“朝圣山学社”首次大会。当时，参加会议的人有：芝加哥大学的哈耶克、巴黎大学的 Maurice Allais、罗马的 Carlo Antoni、苏黎世的 Hans Barth、斯坦福大学的 Karl Brandt、纽约大学的 John Davenport、剑桥大学的 Stanley R. Dennison、芝加哥大学的 Aaron Director、弗赖堡大学的 Walter Eucken、牛津大学的 Erich Eyck、芝加哥大学的 Milton Friedman、布鲁克林大学的 U. D. Gideonse、普林斯顿大学的 F. D. Grahanl、纽约的 F. A. Harper、纽约大学的 Henry Hazlitt、奥斯陆大学的 T. J. B. Hoff、苏黎世大学的 Albert Hunold、Vaud 的 Bertrandde Jouvmel、哥本哈根的 Carl Iversen、曼彻斯特的 John Jewkes、芝加哥大学的 F. H. Knight、巴富罗大学的 Fritz Machlup、底特律大学的 L. B. Miller、纽约大学的 Ludwigvon Mises、华盛顿大学的 Felix Morley、曼彻斯特的 Michael Polanyi、伦敦经济学院的 Karl R. Popper、日内瓦大学的 William E. Rappard、纽约的 L. E. Read、伦敦经济学院的 Lionel Robbins、日内瓦大学的 Wilhelm Ropke、罗得岛的 George J. Stigler、斯德哥尔摩大学的 Herbert Tingsten、里昂大学的 Francois Trevoux、纽约的 V. O. Watts 和伦敦经济学院的 C. V. Wedgwood。——邓正来注

国人进入瑞士存在着难以置信的困难，而且在曾经是两个敌对阵营的学者之间进行交流也存在着问题——尽管15年以后颇为幸运的人们听到这种情况会感到有些奇怪，但是这在当时确实是人们产生某种担忧和犹豫的原因。最初，我的朋友和我都希望把历史学家福兰兹·斯纳贝尔（Franz Schnabel）和奥肯带到瑞士去，但是我们却只是成功地克服了奥肯所遇到的所有的技术困难，结果，奥肯成了瑞士"朝圣山"（Mont Pelerin）会议上唯一来自德国的与会学者。这也就使下述情况具有了更为重要的意义：奥肯本人在这次大会上取得了很大的成功，而且他的道德境界也给所有的与会者留下了最为深刻的印象。据此我们可以说，奥肯在使西方人重新相信德国存在着自由主义思想家的方面做出了重大的贡献，而且他在"朝圣山学社"（Mont Pelerin Society）第二次会议上以及在1950年访学伦敦的过程中（自此以后他再没有去过伦敦）更是强化了他给人们留下的那种印象。

当然，你们一定比我更了解奥肯在德国取得的成就。因此，如果我今天在这里说我将把发扬光大由奥肯和他的朋友在弗赖堡大学和在德国创建起来的那种传统视作是我的一项主要任务的话，那么我想，我肯定不需要再对这个说法做进一步地解释了。这就是一种由最伟大的科学诚信（scientific integrity），同时也是由坦率表达自己对公众生活中重大问题的看法这两种品格构成的传统。至于这两项目标在一个经济学家的学术工作中能够结合到什么程度以及需要什么条件的问题，便是我在下面所要讨论的主要论题。

二

尽管作为一个经济学家，我的职业生涯的前半部分完全投入到了纯理论的研究工作之中——当然也是由于自那个时候起我用了很多时间去研究经济学领域以外的种种论题，我仍然希望我将来的教学工作能够主要侧重于经济政策方面的各种问题。然而，我特别想在正式开课以前就明确并公开地指出大学教育在经济政策领域中所担当的使命以及科学的贡献在经济政策领域中的目的和限度。当然，这只是我的个人观点而已。

对于这个方面最初产生的已为众多论者讨论过的那个问题，我在这里只会做些许必要的检讨。尽管我对那个问题没有什么新的见解，但是我还是不能将它完全忽略不论：这就是价值判断在一般社会科学中的作用以及价值判断在讨论特定的经济社会政策过程中的作用问题。自马克斯·韦伯（Max Weber）指出这个问题的实质开始，距今已有大约五十年了。然而，如果有人现在重读韦伯就这个问题所做的缜密且详尽的阐释，那么他一定会发现韦伯的讨论几乎足够详尽了。当然，韦伯提出的告诫所产生的影响有时候看起来也许太过了，但是需要指出的是，当经济学在德国眼看要堕落成一种社会改革的教条的时候，而且当一个经济学学派竟然把自己称之为“伦理学派”（ethical school）的时候，韦伯采取一种把自己的论辩推至极端甚至有可能蒙遭误解的地步的做法，也是没有什么可以令人感到惊讶的。颇为遗憾的是，这种情况也常常使人们不再敢表达任何价值判断了，甚至还致使经济学家在其教学的过程中避而不提那些他们应当坦诚直面的最为重要的问题。

实际上，我们在这个方面所应当遵循的一般性原则非常简单，尽管我们在把这些原则适用于某一特定情形的时候常常会遇到极大的困难。当然，智性诚实（intellectual honesty）所提出的乃是这样一项基本要求，即知识分子必须对科学有能力进行判断的因果关系与特定结果的可欲性或不可欲性这两个问题做出明确的界分。科学本身显然无力对若干终极目标所具有的相对价值做出任何判断。同样显见不争的是，科学研究人员在选择以科学的方式研究何种问题的时候已经隐含了价值判断。因此，对科学知识与价值判断做明确分离的要求，并不能够通过回避所有的价值判断而实现，而唯有通过正确无误地陈述那些具有指导作用的价值才能够得到实现。此外，还有一点也是无可争议的，即大学教师不应当假装中立或冒充公允，而应当通过公开表明他个人所信奉的那些理想而使他的学生或听众更容易地认识到他得出的那些具体结论乃是以价值判断为依凭的。

从今天的角度来看，我们似乎可以这样认为，即在我还在当学生的时候以及此后的一段时间中，在马克斯·韦伯强有力的论辩的影响下，我们在这个方面所受到的约束远远超过了可欲的程度。三十多年以前，亦即在我接受了伦敦大学教授一职的一年多以后，我做了首次就职演讲，并借着那个机会解释了我所主张的一般的经济哲学（general economic philosophy）[2]；就在那次演讲中，当我发现听讲的学生因知道我并不赞同他们所持有的在当时占据支配地位的唯社会论观点（socialist views）而感到惊讶和失望的时候，我本人还是感到相当高兴的。的确，在那次演讲以前，我所做的所有讲座都是讨论纯理论问题的，而且我也没有特殊的机会可以明确讨论政治问题。今天，我问自己，当我发现我在此之前是多么成功地隐藏了那些至少在选择我认为重要问题的方面指导着我的预设的时候，我难道就不应当对此感到内疚吗？当然，我是绝不会为自己的这种所谓的公允感到自豪的。

在某种程度上讲，正是那种经验使我产生了这样的想法：第一，在今天这种场合，我的就职演讲应当是我给你们做的第一次真正意义上的讲座；第二，在这次讲座中，我应当把我在讨论特定问题过程中作为预设的某些观点交代清楚。

就价值判断的作用以及在大学教育中对政治上有争议的问题发表看法是否适当这个论题而言，我想再补充两个观点。我提出的第一个观点认为，如果马克斯·韦伯多活20年，那么他很可能会对他所强调的重点做些许调整。当他在他那个时代宣称智性诚实乃是大学教师所必须支持的唯一的美德的时候，人们完全有可能认为这种要求是与政治无关的。自此以后，我们渐渐地认识到，一些政治制度的存在甚至使得这样一种智性诚实（亦即作为所有真科学的基本条件的智性诚实）都变得极为困难了。我们可以肯定地说，即使是在最为困难的情形中保有智识诚信，都是可能的。但是，我们并不都是英雄。因此，如果我们珍视科学，那么我们还必须倡导和主张一种并不会使这种智识诚信变成一种极为困难的事情的社会秩序。我认为，就此而言，科学的理想与个人自由的理想之间存在着一种极为紧密的关系。

我所主张的第二个论点认为，社会科学家承担着一项明确的责任，这就是他们必须对某些特定的事情进行质疑，而我们知道，仅仅提出这些问题本身就意味着采取了某种政治立场。我们只需给出一个事例便足以说明我所持的这个想法了。如果一位学者提出了这样一个问题，即工会提出的工资政策是否真的把全部工人的实际工资提高到了一个任何其他方法都无法企及的水平（正如人们普遍认为的那样），那么他的这种做法便极可能使他在许多圈子里都变成工人阶级的敌人。事实上，人们不仅有充分的理由质疑工会工资政策的作用问题，而且还存在着这样一种可能性，即工会提出的工资政策极可能降低了工人的实际工资，而且作为工会工资政策的一个必然结果，整个工人阶级的实际工资——或者至少是他们的实际收入——要比他们在没有这种工资政策的情况下所可能得到的实际工资水平低。

促使人们达致上述有着明显矛盾而且肯定不会得到人们普遍理解的结

论的那些因素实是相当简单的,而且还是以那些甚少得到质疑的原则为基础的。任何特定工会所拥有的推动其成员工资上涨的那种权力,亦就是使他们的工资高于他们在没有该工会活动的情况下所能获得的工资水平的那种权力,完全是以它能够阻止那些愿意为较低工资而工作的工人进入该行业的能力为依凭的。这种做法会导致这样一种后果,即那些愿意为较低工资而工作的工人要么只得去其他地方为更低的工资而工作,要么只得处于失业状态。当然,在一般意义上讲,工会只可能在繁荣和高速发展的行业中是强有力的,但是在稳定或夕阳行业中却不那么有力量。这意味着任何一个工会增加其成员工资的那种权力乃是以该工会得以阻止工人从其边际生产力颇低的地方转向其边际生产力较高的地方为基础的。这还肯定会使整个边际的劳动生产力进而实际工资的水平始终低于它们在其他情况下所可能达致的水平。

我们之所以把这种情况只视作是一种可能性较大的结果而不是一种确定的结果,其中的原因就在于我们无法排除这样一种可能性,即一个工人群体的所得(其工资因该群体的推动而超过了它在自由市场经济中所达到的水平)有可能大于另一个工人群体的损失(其工人工资低于他们在可以进入某个繁荣行业的情况下所可能获得的工资水平)。因此,一个群体的工资的增加,一定是以较大的不平等为代价而实现的,而且也很可能是以整个工人阶级的实际工资的降低为代价而实现的。

你们一定很清楚这样一个问题,即所有的上述考虑因素只能适用于实际工资,而无法适用于现金工资。此外,有关工会的工资政策会导致现金工资的普遍提高进而会导致通货膨胀的事实,乃是人们坚持信奉下述幻想的原因之所在:正是由于工会的存在和它们的努力,普遍的工资水平才会高于它们在其他情况下的水平。

尽管对这个问题做这样的回答很可能会激起人们的强烈的政治情绪,但是你们会发现,这种回答绝不是以价值判断为基础的。我在前面给出的简要回答也许是真的也许是伪的——而且它也肯定不会像这样一个简要的回答所揭示的那样简单——然而需要指出的是,它的真实性或虚假性不仅取决于论者所采取的理论的正确性,也许还要取决于具体情势中的某些特定的事实,但是却不取决于我们对我们所追求的目标的可欲性或不可欲性的看法。颇为幸运的是,这种情形可以适用于经济政策方面的绝大多数问题——我相信它的适用程度还要比这高得多。但是,甚至当人们一开始在道德评价方面存在着无法沟通的冲突的时候,事实证明这样的情况也是常常会发生的:如果冲突双方能够就他们必须从中做出选择的那些可能性方案达成协议或共识,那么他们的分歧就会趋于消失。

三

现在,请允许我对唯社会论者(socialists),与自由经济的支持者之间仍存有很大分歧的那个核心问题进行讨论,并通过这种方式更为详尽地阐明上文所说的那种情况。我之所以说他们之间仍然存在着分歧,实是因为人们曾经以一种很严肃的方式提出的用于支持唯社会论的一个观点,经由他们对这个问题的科学讨论而在相当普遍的程度上被否弃了。这个观点断言,一种由中央政府指令的经济(a centrally directed economy)要比一种由市场引导的经济更具成效。我将在后面相关的部分再回过头来讨论这个问题;而我之所以在这里论及这个问题,只是为了阐明这样一个道理:即使人们认识到了这种观点的虚假性,这也不足以使他们能够否定那种支持唯社会论的论点,因为对于大多数唯社会论者来说,我们通过分配所得到的那部分商品即使不比商品之普遍供应的增加更重要,也至少与它一样重要。如果一个只受伦理因素指导的唯社会论者坚持认为,为了对社会总实际收入做到更公平的分配,社会总实际收入即使大幅度下降也不能算是一个很高的代价,那么我们可以说,尽管这种观点从政治上讲也许并非易事,但却是完全一以贯之的。

甚至自由经济的倡导者也必须承认,那种诱使人们信奉唯社会论的正义观念是有可能实现的,即使它只能够在一个由中央政府指令的经济中得到实现。然而,这里依旧存在着这样一个问题,即唯社会论者是否真的准备去接受因他的正义理想的实现而导致的全部后果呢?而且值得我们注意的是,在这些后果当中,物质生产能力的下降也许还不是最为严重的后果。如果唯社会论者真的准备那样做,那么我们就只能够承认这是一种有关终极价值的分歧,而这种分歧实是任何理性讨论所无法消除的。然而,在我看来,这绝非实情。只要我们对那些不尽相同但却常常模糊不清的观念——亦即争议双方用以指称他们所谓的“社会正义”的观念*——做一较为深入的分析,那么我们即刻就能够说明上文所述的问题。套用自亚里士多德以来人们所采用的术语,我们可以用这样一种方式来指出它们之间的区别,亦即明确指出自由经济始终只能够实现交换正义(commutative justice),而唯社会论——在很大程度也包括那种颇为流行的社会正义理想——所要求的

* 关于社会正义的讨论,请参见本丛书第一辑所收入的哈耶克于1957年发表的《什么是社会的?》,于1976年发表的《社会正义的反祖性质》的论文,以及哈耶克在《法律、立法与自由》第二卷“社会正义的幻象”第九章“社会正义或分配正义”、第十章“市场秩序或偶合秩序”以及第十一章“抽象规则的规训与部落社会的情绪”(邓正来等译,中国大百科全书出版社2000年版)。——邓正来注

乃是一种分配正义(distributive justice)。交换正义在这里意味着根据一个人提供的服务所具有的实际价值而给予回报。当然,这种实际价值乃是对于那些接受了他所提供的服务的人而言的,而且也是通过他们愿意支付的价格表现出来的。正如我们必须承认的那样,这种价值与道德品行没有什么必然的联系。的确,一些人乃是通过做出巨大努力和痛苦牺牲而获致某种工作成果的,而另一些人则是通过十分轻松的甚至是一种自我享受的方式获得这种成果的。但是从交换正义的角度来看,这二者之间并没有什么区别。再比如说,一些人能够在适当的时候即刻满足其他人的需求,究竟是通过精明的预见还是凭靠纯粹的运气,也是没有什么区别可言的。交换正义根本不考虑个人的或主观的情势,也不会考虑需要或善意,而只会考虑那些使用某人活动之成果的人是如何评价他的成果的。

从分配正义的角度来看,根据产品的价值进行酬报的结果必定是极不正义的,因为这种酬报方式的结果很难与我们所认为的某一行为所具有的主观品行相符合。一个因机缘巧合而偶然蒙对结果的投机者有可能在几个小时之内就挣得一大笔财富,而一个一生辛勤工作的发明者却因为另一个发明者抢先几天完成该项发明而无法得到酬报;或者,一个依附于土地并辛苦劳作的农民只能勉强地满足他自己的生活需要,而一个喜爱写侦探故事的人却可以因此而过上奢华的生活。类似于这样的情形,在大多数人看来,都是极不公正的。我不仅理解人们在日常生活中看到这些现象时所产生的不满情绪,而且也相当尊重人们要求分配正义的想法。如果说我们所面对的是这样一个问题,即命运或某种全知全能的力量是应当根据交换正义的原则还是应当根据分配正义的原则去酬报人们,那么我们很可能都会选择后者。

然而,这却不是现实世界中的实际情况。首先,我们不能做这样的假定,即如果酬报体制与现在的酬报体制截然不同,那么个人仍然会去做他们现在做的事情。的确,我们现在之所以可以让个人自行决定他们想做的事情,实是下述两个原因所致:第一,他们承担着他们选择的风险;第二,我们并不是根据他们的努力和他们诚实的意图,而仅仅是根据他们活动结果的价值来酬报他们的。每个人自由择业以及每个人自行决定他想生产的产品或他想提供的服务,乃是与分配正义不相容合的。分配正义乃是这样一种正义,即根据每个人践履他所应当承担的责任的好坏情况——这是由其他人判定的——而给予他报酬。军事组织或科层组织也许必须实施这种正义,因为在这些组织当中,对每个成员的评价都是以他的上级对他践履上级为他确定的任务的好坏情况的看法为依据的。此外,这种正义也只能在一个权力机构的领导下为了实现相同的目的而展开活动的群体当中予以实施。它是一种指令性社会(a command-society)的正义或指令性经济(a command economy)的正义,因此与每个人自行决定做什么事情的那种自由是不相容合的。

再者,这种分配正义不仅与行动的自由是不相容合的,而且也是与发表意见的自由(freedom of opinion)不相容合的——因为它要求所有的人都必须服务于一个统一的价值序列。事实上,我们既没有就何者具有较高品行或较低品行的问题达成共识,我们也无力以客观的方式探明并确定这样一种判断赖以为基础的那些事实。一项行动的品行从本质上讲乃是某种主观的东西,而且在很大程度上是以那些只有行动者本人知道的情势为基础的。此外,不同的人对那些情势的重要性所做的评价也是极为不同的。压制个人的憎恨或痛苦,克服个人身体上的残疾或疾病,是否就构成了一种较高的品行呢?冒生命的危险或侵损个人自己的名声,是否就构成了一种较高的品行呢？从个人的角度来看，我们每个人对这样的问题都有着极为明确的答案，但是我们所有的人对这些问题达成一致意见的可能性却是微乎其微的。此外，显而易见的是，向其他人证明我们的观点是正确观点的可能性也是根本不存在的。这意味着：那种试图根据人们的主观品行进行酬报的做法，必定是以少数人的观点为基础的——亦即是以那种必定要强加给所有其他人的少数人的观点为基础的。因此，分配正义不仅要求个人不能享有自由，而且还要求实施一种不容争议的价值序列，换言之，也就是实施一种严格意义上的全权性统治。

当然，有关这个结论是否就是一个不可避免的结论的问题，仍是一个可以进行详尽讨论的问题。但是，从我此次演讲的主旨来看，我所要强调的只是这样一个要点，即它只是以科学分析为依凭的，而不是以任何价值评判为基础的。只有在我们就实施上述两种正义当中的任何一种正义所会导致的后果达成一致看法以后，我们对这两种正义所做的选择才是以价值判断为依凭的。我个人认为，只要人们理解并承认分配正义只能在一个没有个人自由和唯有专断的制度中得到普遍实现，那么他们就不可能去赞同实施分配正义。当然，有许多人会认为我的论辩不怎么有说服力，因此与他们进行讨论也许是相当值得的和颇具启示意义的。但是，如果有人承认这个结论并且宣称他们还是要选择那种能够以个人不得享有自由和少数人掌控无限权力为代价而实现分配正义这个理想的制度，而不选择另外一种制度，其间，个人自由只与那种在他们看来最不公正的交换正义相结合，那么科学也就确实无话可说了。

事实上，在许多情形中，在我们阐明各种可能的决定所会导致的后果以后，再补充说让听众或读者自己去选择，那不仅像是在卖弄学问而且还近乎是一种戏弄。早在二百多年以前，在我们学科中的第一本伟大的理论著作当中，亦即在理查德·坎梯龙（Richard Cantillon）所撰写的 *Essai sur la nature du commerce en general* 一书当中，上述界分就已经得到了明确的阐释，而且人们也很容易感觉到该作者对这个问题的回答是确定无疑的，但是他却以这样的论断来结束他对人口问题的讨论：判定一个人数众多而贫穷的人口结构好，还是人数甚少而富有的人口结构好，并不是科学的任务。但是，我们很可能不应当害怕这种卖弄学问的做法，尽管这种做法常常被人们当做一种“反论证法”（reductio ad absurdum）而加以反对，而且还趋于使那些采用这种做法的人遭人讨厌。

四

现在，我们有必要转而对人们从科学角度论证特定政治措施之正当性的可能性所具有的另一个限度进行讨论。尽管这个限度是人们不怎么熟悉的，但却很可能是更为重要的。造成这种限度的原因乃是人们在对高度复杂的现象做任何彻底解释的方面存在着根本的困难，而不只是经济学理论没有得到充分的发展。毋庸置疑，这种经济学理论确实还存在着许多悬而未决的问题，但是在我看来，这种经济学理论在整体上还是相当令人满意的。我认为，我们的困难，与其说是源出于经济学理论尚未得到充分发展这种状况，不如说是源出于其他方面。这是因为我有时候甚至感到，经济学理论已经被精致到了这样一种程度，以至于我们在事实上都无法再用它来分析现实世界了。

我想我没有必要在这里为这样一种观点进行辩护，即只有理论才能够被视作是严格意义上的科学。有关事实本身的知识并不是科学，而且也无助于我们控制或影响事务发展的进程。需要强调的是,即使当理论上的洞见能够使我们在很大程度上理解事情为什么按这种方式发生的时候,只要我们还不知道那些构成了我们必须纳入我们理论论式之中的基据(date)的特定事实,那么这种理论上的洞见也并不总是能够帮助我们对特定事件做出预测或有助于我们按照我们自己的愿望去安排那些事务的。这就是我们在充分解释或有效控制那些真正复杂的现象的时候所遭遇的障碍之所在。我认为,似乎正是在这个方面,经济学家们往往会忘记自己能力的局限性,而且还会给人们留下这样一种印象,即他们先进的理论洞见能够使他们在具体的情形中对特定事件或特定措施的特定结果做出预测,但是这种印象却是毫无根据可循的。

我将要讨论的那种困难,不仅出现在经济学领域,而且也存在于所有探究高度复杂结构中的各种过程的学科领域之中。它不仅存在于社会科学领域当中,而且在很大程度上也存在于理论生物学和理论心理学领域当中。因此,这个问题需要我们给予相当谨慎的关注,尤其是自然科学方面的事例,因为那种困难常常会导使人们在那些领域中采用某种错误的认识进路。

所有的理论都在于对抽象且格式化的秩序或模式做出陈述。不同现象群所特有的不同秩序类型,也许是相对简单的,也许是相对复杂的。我这样说的意思是:赋予某类现象以某种独特特征的那种独特的原理,可以通过那些由相对较少的因素构成的模式展示出来,甚或只能够通过那些由相对较多的因素构成的模式展示出来。在这个意义上讲,机械现象是相对简单的——或者更为准确地说,我们可以把那些过程(亦即其赖以为基础的原理是能够由相对简单的模式表示出来的过程)称之为机械过程。这并不意味着，在某些特定的情形中，那些简单的关系就不能被纳入到极为复杂的结构里面去。但是需要指出的是，在这种情形中，仅仅因素的增加并不会产生什么新的东西，而不论把那种简单的理论适用于某些复杂的结构有多么困难。

由于那些领域中的理论论式（亦即对特定种类的秩序或模式所做的描述）是相对简单的，所以一般来讲，人们有可能把预测特定事件所必须知道的所有具体的基据纳入到那些理论论式当中去。因此，对于物理学家或化学家来说，理论，亦即对特定种类的秩序所做的一般性描述，一般来讲只有在这样一种限度内才是具有意义的，即通过纳入具体的基据，他可以根据这个理论对个别事件做出具体预测。再者，尽管物理学家或化学家在按照这种方式适用他的理论的时候也肯定会遇到困难，但是他通常会做出这样的假定，即他必须纳入其数学程式里面去的那些特定数据可以被确定为达到了做出准确预测所必需的精准程度。因此，物理学家或化学家常常会对这样一种情形感到不理解，即经济学家居然不厌其烦地建构一些看上去与自然科学理论极其相似的理论，比如说可以用联立方程式（simultaneous equations）这种方法加以表述的那些理论，尽管经济学家承认，他们绝对无力探明并确定他们在能够解开那些方程式之前必须把其纳入到那些方程式里面去的所有数据。

一如我们所知，只有当我们也能够解释某种特定类型的抽象秩序或模式的具体表现的时候，我们对这种抽象秩序或模式的预测（或对它的出现所做的解释）才是有效用的或有意义的*；然而需要强调指出的是，这种情形绝

---

* 关于这个问题，最重要的文献请参见本丛书第二辑所收入的哈耶克于1955年发表的《解释的程度》，于1964年发表的《复杂现象理论》等论文。哈耶克指出："我认为，某些早期的实证主义者对'解释'（explanation）一词的偏见已（接下页注）

不是显而易见的。实际上就简单秩序而言,它们所具有的一般性特征与它们的特定表现之间的差别并不十分重要。但是,秩序越是复杂(尤其是在它们的表现与特征还要遵循不尽相同的有序化原则的时候),它们在一般性特征与具体表现之间的区别也就会变得越发重要。就这样一个事实——即我们会发现因素之间所具有的某种特定安排——所做的预测,往往是一种值得人们关注的有意义的预测,但是首先却是一种可以反驳的因而也是一种经验性的预测,即使我们对于那些因素的特性、它们的量值或距离等知之甚少。甚至在自然科学领域中,也常常会发生许多这样的事情,即我们所具有的知识只能够证明我们对某种一般性的安排所做的预测是否正确。例如,一位知道某种特定物质可以组成种种六方晶的矿物学家,常常会无力预测出这些六方晶的尺寸有多大。但是,那种在自然科学中属于例外的事情,在那些研究有机程度较高的结构的学科中却属于一种常规现象。我们所拥有的知识,通常都足以帮助我们确定我们将发现的那种秩序所具有的一般性特点。如果我们能够假定那些特定的情势是已知的,那么我们的理论甚至还足以使我们从中推测出将会发生的特定事件。这里的困难仅仅在于这样一个事实,即这些特定的情势数量之大,实是我们永远都无力探明并确定的!

(接上页注)成为过去的事情了,因此我们可以理所当然地认为,关于这个问题,最重要的文献请参见本书所预测和解释只是同一个过程的两个方面而已:就预测而言,人们采用已知的规则以求从已知的事实中推论出此后会发生什么;而就解释而言,人们采用这些已知规则以求从已知的事实中推论出先于它们的是什么。根据本文的论旨,如果我们在本文中始终用'预测的程度'来取代'解释的程度',实际上也没有什么重要的区别。"(参见 K. R. Popper, *The open Society*, 1950, p. 446)——邓正来注

我相信,绝大部分理论生物学的情况都是这样的,生物进化理论的情况就更是如此了。当然,理论社会科学的情况也肯定是这样的。这个方面最好的一个例子就是有关价格的数理理论方程式。这些方程式以一种给人印象深刻的方式而且从整体上讲还可能是一种真实的方式阐明了这样一个问题,即商品和服务的整个价格系统是如何通过所有的个人和公司所拥有的知识、资源和欲求而得到确定的。但是,正如这一理论的创建者所确当理解的那样,那些方程式的目的**并不是**要从数值上确定那些价格,因为,一如维尔伏雷多·帕累托(Vilfredo Pareto)所认为的那样,假定我们能够探明并确定所有的特定数据,实是"荒谬之举"。那些方程式的目的仅仅在于描述那种自我形成的秩序所具有的一般性特征。由于这种秩序意味着各种要素之间存在着一定的关系,而且还意味着这些关系的实际存在或不存在能够被确定,所以对这样一种秩序的预测是可以被证伪的,而且这种理论也是可以在经验上得到检验的。但是需要强调的是,我们所能够预测的始终只是这种秩序的一般性特征,而不是它的细节。到目前为止,据我所知,还没有哪位经济学家成功地运用自己的理论知识通过预测未来的价格而赚到钱[这甚至可以适用于凯恩斯爵士(Lord Keynes),因为人们有时候认为他运用他的理论赚到过钱。但是,他在人们以为他的理论知识会对他有帮助的领域中亦即在外汇领域中进行投机的时候,他损失的却比他拥有的还要多;只是在晚些时候,亦即当他开始转向商品投机的时候,他才成功地赚到了大笔的钱财,但是值得我们注意的是,在商品投机方面,正如众所周知的那样,他的理论知识却对他毫无帮助可言]。

有关我们的理论并不能够使我们预测出特定价格这类东西的说法,并不否认这种理论的有效性(validity)。实际上,它只意味着,我们根本就不可能知道上述那种理论所认为的不尽相同的价格赖以为基础的所有的特定情势。当然,在这些特定的情势当中,最主要的便是所有参与经济过程之中的行动者所具有的知识和欲求。

的确,人们知道谁的行动决定了价格以及生产的方式和方向,但是我们却根本不可能完全知道他们在这方面的信息。当然,这个事实并不只是对理论有着至关重要的意义,因为它还对政治行动有着最重大的意义。有助于市场经济秩序之形成的知识,不仅远远多于任何个人所能够拥有的知识,而且也远远多于任何一个组织所能够使用的知识。这是事实,而这个事实正是市场经济之所以比任何其他已知的经济秩序类型更为有效的关键原因。

然而,在我讨论这个问题之前,我想先简要地讨论一下我的另外一个观点。我认为,所谓的宏观经济理论之所以能够在现代得到发展,完全是因为这样一种错误的信念所致,这种错误的信念就是:只有当某个理论能够使我们对特定事件做出预测的时候,这种理论才是有用的。显见不争的是,宏观经济理论之运用所必需的数据永远不可能为人们所探明并确定,所以人们便试图通过重新建构理论的方式来克服这个困难——但是值得我们注意的是,他们只是把理论重构成了这个样子,即必须纳入其论式之中的数据不再是有关个人的信息而是统计上的数值、总数或平均数。我认为,大多数这样的努力都是错误的,因为它们只是导致了这样两个结果:第一,我们丢失了我们原本能够获得的洞见人际关系之结构的观点;第二,由于那些统计数字只为我们提供了有关过去的信息,而且也没有为他们所提出的有关这些数据会保持不变的假定给出任何证明,所以我们仍旧无法对特定事件做出成功的预测。也许除了货币理论中的某些特定问题以外,我认为其他的努力都不会有什么成效。毋庸置疑,所有那些努力都无法绕过我在前面讨论过的那些困难,因为我们知道,有待生产的特定商品的数量和价格并不是由任何平均数而是由特定的情势所决定的——而有关这些特定情势的知识则是由成千上万的人分散掌握的。

五

据此,市场经济理论达致了这样一个主要结论:在一定的条件下(颇为遗憾的是,我无法在这里对这些条件做进一步的讨论),竞争实现了对无数不尽相同的情势的调适——而这些不尽相同的情势在整体上乃是任何人或任何权力机构所不知道的而且也是不可能知道的。因此,这种调适是不可能通过中央指令所有经济活动的做法而得到实现的。这首先意味着,与人们普遍持有的一种观点相反,经济理论在探讨各种不同的经济制度的效率方面可以发表极为重要的意见,也就是在学者们有时候不敢讨论的那些问题上可以发表极为重要的意见——当然,学者们之所以不敢讨论那些问题,实是因为它们与各种持反对立场的政治观点有着特别紧密的勾连。其次,这也意味着,从比较的角度来看,经济理论对于特定的措施在特定情形中所具有的具体效用是没有多少发言权的。我们知道市场经济中各种自我调整力量说具有的一般性特征,而且也知道这些力量得以发挥作用或不能发挥作用所依凭的一般性条件,但是我们却并不知道这些自我调整的力量旨在与之相调适的所有的特定情势。我们之所以不可能知道所有的特定情势,乃是因为经济过程中的各个部分都是相互依赖的,换言之,它乃是因这样一个事实所致,即为了成功地干预该经济过程中的任何一个部分,我们就必须知道整个经济(不仅包括本国的经济,而且也包括整个世界的经济)中的所有的细节。

毋庸置疑,如果我们想大致保持我们现有的生活水平,那么我们就必须充分利用市场的力量。然而,如果我们想充分利用市场的力量,那么一种理性的经济政策就应当只旨在创建市场得以发挥最大作用所需要的各种条件,而不应当把刻意影响或指导个人活动的做法视作自己的任务。因此,经济政策的主要任务就在于创建一种框架,而在这个框架内,不仅个人能够自由地决定他想做的事情,而且这种以个人所拥有的特定知识为基础的决策也能够在最大的程度上有助于总产出的增加。此外,我们对任何特定的政策措施所做的评价也无须以它所取得的特定结果为依凭(因为在绝大多数情形中,我们无论如何都是无法知道全部这类结果的),而必须以该项政策措施与整个系统的一致性为依凭[我认为,这就是奥肯最早描述成“系统正义”(systemgerecht)的标准]*。这还意味着我们在所有的情形中都往往必

* 关于如何评价特定政策的问题,哈耶克在这里的讨论极为重要。因为根据我的分析,哈耶克在1960年以前的论述尤其是《自由秩序原理》一书中并没有解决这个问题,因此这是哈耶克第一次涉及具体政策之评价和修正的“系统标准”或“内部批判”的问题。这个观点之所以重要,其原因就在于:第一,它为哈耶克进一步从进化论的角度完善他的“进化论自由主义”奠定了一个极为重要的基础;第二,它为哈耶克建构他的“进化论法律理论”和“否定性正义观”提供了一个坚实基础。最为典型的论述,可以参见他在1976年《法律、立法与自由》第二卷第七章“普遍利益与特定目的”的章节中所做的如下论述:“由于任何业已确立的行为规则系统都是以我们只是部分知道的经验为基础的,而且也是以一种我们只是部分理解的方式服务于一种行动秩序的,所以我们不能指望以那种完全重构的整全方式对该规则系统进行改进。如果我们想充分利用那些只是以传统规则的形式传递下来的经验,那么为改进某些特定规则而做的批判和努力,就必须在一给定价值的框架内展开。当然,这个给定的价值框架,就人们力图实现的即时性目的而言,必须被他们视作是一种无须证明便予以接受的东西。这种批判乃是在一个给定的规则系统内部展开的,而且也是根据特定规则在促进型构某种特定的行动秩序的过程中与所有其他为人们所承认的规则是否一致或是否相容(亦即一致性或相容性的原则)来判断这些特定规则的。因此,我们将把这种批判称之为‘内在的批判’(接下页注)

须根据这样的假设去行事,尽管这些假设事实上只是在大多数情形中而并不是在所有的情形中为真的:这个方面的一个范例乃是这样一个事实,即自由的国际贸易会使双方交易人都获益的"定律"也存在着一些例外,而所有这些例外都是由自由贸易的坚定倡导者所发现的,但是这种情况却并没有妨碍他们继续倡导全球自由贸易,因为他们还知道,要想证实现实生活中是否真的存在着那些可以证明一种例外情形为合理的异常情形,几乎是没有可能的。就此而言,去世不久的庇果(A. C. Pigou)教授的例子也许对我们理解这个问题有着较大的启示意义。一如我们所知,庇果教授是福利经济学理论(the theory of welfare economics)的创建者。在他的暮年岁月中,他几乎把他的全部精力都用于解决这样一个问题,即明确界定人们在采用政府干预

(接上页注)(immanent criticism)。只要我们承认整个现行的行为规则系统与这个规则系统所会产生的已知且具体的结果之间存在着一种不可化约性,那么上述'内在的批判'就是我们对道德规则或法律规则进行批判性检视的唯一基础。……一切真正的道德问题,都是由规则之间的冲突引发的,而其间最为常见的问题则是由不同规则之相对重要性方面的不确定性所引发的。任何行为规则系统都不是全涉的,因为它不可能为所有的道德问题都给出一个明确无误的答案……正是由于人们必须不断地去处理业已确立的规则系统并未给出明确答案的那些问题,整个规则系统才得以演进并渐渐变得更为明确了……作为传统之产物的规则,不仅应当能够成为批判的对象,而且也应当能够成为批判的标准。……我们并不认为传统本身是神圣的且可以免于批判的,而只是主张,对传统的任何一种产物进行批判,其基础必须始终是该传统的一些其他产物——而这些产物或者是我们不能够或者是我们不想去质疑的东西;换言之,我们主张,一种文化的特定方面只有在该种文化的框架内才能够得到批判性的检视……因此,我们始终只能根据整体来对该整体的某个部分进行检视,而这个整体正是我们无力完全重构而且其大部分内容亦是我们必须不加检讨便予以接受的那个整体。"(更为详尽的讨论,请参见哈耶克《法律、立法与自由》第二卷"社会正义的幻象",邓正来等译,中国大百科全书出版社 2000 年版,第 33 ~ 35 页)——邓正来按

手段来改进市场结果的时候所必须符合的那些条件。然而他却不得不承认，这些理论考虑的实际价值在某种程度上讲是有些疑问的，因为人们很难探明并确定该理论所指涉的那些特定情势是否在任何给定的情形中都实际存在[3]。并不是因为经济学家知道太多，而是因为他知道为了成功地进行干预他必须知道多少东西，而且也是因为他知道他永远都无法知道所有相关的情势，所以他就应当尽量不去建议采取一些孤立的干预措施，即使在理论告诉他这些措施有时会产生裨益的情形下，也不应当如此。

如果我们不想为那些弊大于利的措施承担责任的话，那么承认我们的知识具有这种限度就极为重要了。我认为，我们应当从这个洞见中得出这样一个一般性的结论，即在我们对经济政策措施进行评价的时候，我们只应当以这些措施的一般性特征作为我们的指导，而不应当以它们对某些人或某些群体产生的特定影响作为我们的依据。如果我们不打算建议人们普遍采纳某种可以帮助某些值得帮助的人的措施，那么仅凭该项特定的措施可以帮助某些值得帮助的人的事实是不能对它自己的正当性予以充分证明的。

这种态度很可能被一些论者当做一种恪守僵化原则的教条做法加以批评。然而，这种指责却不应当把我们吓住；相反，我们应当自豪地接受这项指责，因为原则乃是我们能够为解决政策问题所做的最为重要的贡献。在我们所讨论的这个题域中，“原则”这个术语常常被用做一般性论著的题目，这绝非偶然。特别需要指出的是，就经济政策而言，原则实际上是我们必须贡献的全部。

需要指出的是，当个人自由被我们视作是当然的唯一的政治目标的时候，原则就特别重要了。我在晚近发表的一部著作中力图表明，个人自由之所以如此重要,其终极原因乃在于人们对于大多数决定所有其他人的行为的情势存在着不可避免的无知,而这些其他人的行为则是我们得以从中不断获得助益的渊源。需要指出的是,我已经借上次访问弗赖堡大学的机会在一次讲座中[4]对这个问题做出了解释:如果在我们的政治决策中,我们只考虑这些决策所具有的可预见的影响——因为标示一种措施的那些直接影响必定是可以预见的,那么个人自由就必定会在极大的程度上不断地受到威胁。但是需要指出的是,因限制自由而遭到阻碍的那些发展趋势从本质上讲却是不可预见的。我认为,我在那次讲座中已经把这个问题阐释得很清楚了,因此,我也无须在这里再对这个问题做任何赘述了。

六

我想用剩下的时间对人们就我在上面所说的内容有可能产生的两点误解先行做出一点说明。

第一,我认为,有关大学教师应当对某些大原则持有明确看法的要求,不仅是适当的,而且也是可欲的;但是这绝不意味着他应当对当下发生的某些特定的政治问题表态,当然也更不意味着他应当使自己受某个政治党派的束缚。在我看来,一个大学教师受某个政治党派的束缚,乃是极不可欲的,而且也是与一个社会科学的大学教师所承担的职责不相符合的。我相当理解人们想在解决当下迫在眉睫的公共政策问题的方面发挥自己作用的强烈欲望;而且如果不是特殊的情势阻止我这样做,那么我本人也可能会经受不住这种诱惑,把我的大部分精力都用来解决这些问题。

然而,在我年轻的时候——当时我还在奥地利,我们就常常喜欢开玩笑说,与我们在德国的同行相比较,我们是更好的理论家,因为我们对实际事务无甚影响。此后,我又在英国经济学家与美国经济学家那里看到了同样的差别:至少在20世纪30年代,英国的经济学家无疑是更好的理论家,而且同时也较少涉入当时的决策工作。然而自那时起,情况发生了一些变化,而且我也不能肯定,这种变化的结果就一定会对英国科学经济学的发展有益。

如果我对自己在过去的30年生活做一个回顾,那么我无论如何都必须承认,我所取得的成就在很大程度上是以这样一个事实为基础的,亦即在这30年的大部分时间里,我在我工作的那些国家里始终是一个外国人,而且也正是这个原因,我认为对当时的政治问题发表评论是不妥的。如果说我在此期间就经济政策问题成功地建构起了某种比较系统的思想体系的话,那么这在相当大的程度上也是因为这样一个事实所致,即在那个时候,我只能满足于做一个旁观者,而且也从来不必去过问政治上可能发生的事情,也无须考虑什么样的事情可以帮助那些与我有联系的群体。我想,这一点在今后也不会有什么不同。

第二,我想防止人们可能产生误解的乃是我在上面强调的这样一个观点,即理论知识有着明确的局限性。我希望诸位不会把我的这个观点理解成这样的意思:由于理论的效用太有限了,所以我们最好还是去关注事实。这肯定不是我想表达的意思。尽管大学教师的任务之一就是要说明如何才能探明并解释事实,但是有关事实的知识却并不构成一门科学(a science)。此外,你们在将来为了运用你们的科学知识而需要的那种有关事实的知识,实是你们在日后的工作过程中必须不断更新的知识。你们在大学学习的主要收获应当是对理论的理解,因为唯有这种收获是你们在任何其他地方都无法取得的。当然,你们必须把你们的科学知识用于特定的事实,而有关这些特定事实的知识,则是你们很快就能掌握的知识。立基于前述的原因,我对我从事教学工作的国家的特定国情的了解要比我的学生少得多,但是我希望这种情况从来就没有减损过我作为一名教师应当发挥的作用。因此,我也希望,当你们不久发现这种情况真的发生的时候,你们也不会感到太过失望。

从今天的情势来看,在经济学研习方面所存在的真正的冲突——在这里,我并不是意指我知之甚少的特定的课程安排或考试要求,而是意指学习所要达到的理想目标——并不存在于有关事实的知识与对理论的理解之间。如果这就是问题的全部,那么我肯定会毫不犹豫地向你们提出这样的建议:在这十分宝贵的学习期间,你们应当把你们的全部精力都用在理论的学习上,而只是在你们的专业工作中遇到问题的时候再去了解那些具体的事实。除了我将指出的某些限制性条件以外,我确实认为,至少用大学中的部分时光去研习理论的那种做法,是极为可欲的。只有那些真正掌握了一门学问的人——而不论我对历史有多么尊重,我仍倾向于把它称之为一门理论学科——才会知道什么是科学。然而,从今天的情势来看,只有在对一个学科的问题做一段时期的专门研习以后,才能够真正地掌握一门理论学科。

实际上,真正的困难在于其他方面。这些困难乃是由这样一个事实造成的,即为了对那些原则性问题做出解答。一方面,我们必须对原则发表明确的意见;然而另一方面,我们的经济学理论却只是一种必要的而不是充分的工具。我在另一个场合曾经说过——而且我也认为有足够的必要性在这里重申这个观点:那种只是一个经济学家的人,不可能成为一个好的经济学家。与自然科学相比较,社会科学中的情形就更是如此了,因为在社会科学中,几乎不存在仅依据某个单一特定的学科便能恰当回答的具体问题。无论是在政治科学和法理学中，而且在人类学和心理学中，还是在历史学中，我们所有的人都应当知道的那些论题，在数量上远远超过了任何一个人所能知道的。极为重要的是，我们领域中的所有问题更会涉及哲学问题。一如我们所知，英国的经济学在很长的一段时间中一直处于领先地位，而就在这个国家，几乎所有伟大的经济学家同时都是哲学家，而且至少从过去的情形来看，所有伟大的哲学家同时也都是经济学家。当然，这种现象绝不是偶然的。的确，经济学家当中也有两个明显的例外，这就是伟大的经济学家大卫·李嘉图(David Ricardo)和阿尔福雷德·马歇尔(Alfred Marshall)。但是我却无法肯定，这一点难道就不能被视作是他们研究工作中之所以存在某些不足的原因吗？不过，如果我们先不考虑这两位经济学家的情形，而只提一些最为重要的人物的姓名：约翰·洛克(John Locke)、乔治·伯克利(George Berkeley)、大卫·休谟(David Hume)、亚当·斯密(Adam Smith)、杰里米·边沁(Jeremy Bentham)、萨缪尔·贝利(Samuel Bailey)、詹姆斯·穆勒(James Mill)和约翰·斯图尔特·穆勒(John Smart Mill)、威廉姆·斯坦利·杰文斯(William Stanley Jevons)、亨利·西季威克(Henry Sidgwick)，最后还有约翰·内维尔(John Neville)和约翰·梅纳德·凯恩斯(John Maynard Keynes)，那么显而易见，在哲学家看来，这样一份名单乃是一份重要的哲学家或逻辑学家的名单，而对于经济学家来说，它则是一份杰出经济学家的名单。

在我当学生的时候，我就在德语文献中见到过上述将哲学与经济学相结合的事例[5]。尽管这种情形对于当时的我来说完全可能是一种会使我感到望而却步的因素，但是我现在却得出结论认为，这种做法是极富创造力的——而且我认为这种信念也不只是人们常常提到的人到老年时喜欢从他们所研究的专门论题转而关注哲学的那种倾向所造成的一个结果。我在今天所论及的那些问题,既是作为哲学问题提出的,也是作为经济学问题提出的。至于人们是否有可能建构出一种研究社会的统一的理论学科这件事情,显然是颇有疑问的,但是确定无疑的是,所有研究社会的学科都提出了相同的哲学问题——在这些问题当中,有许多问题是在哲学家思考了2000年以后才由那些较为专门化的学科加以思考的。我们的文明和制度的形成问题,实是与我们的心智及其工具的发展问题紧密勾连在一起的。例如,如果一位经济学家能够偶尔关注一下理论语言学的问题,那么这对他只会有利无弊,而且他在此后发现的这两个学科所面临的共同问题,归根结底是一些哲学问题。

我之所以论及这个问题,并不只是为了证明偶尔涉猎哲学是有道理的(而我本人则肯定有关注哲学问题的兴趣),而且也是因为我希望能够在这里再一次发现那种关注知识的普遍好奇心以及进行思想探险的精神。我记得,从我当学生的时代起,这种精神在维也纳的大学中到处可见,然而在美国的大学里,这种精神如果不是不为人所知的话,至少也是较为罕见的。不论掌握一门学科的知识对于大学生的学习来说在多大程度上必须成为一项重要的目标,在社会科学各门学科中,操控某个论题的技术性能力都绝不应当成为唯一的目的。对于那些认为我们领域中的各种问题是真正重要的问题的人来说,专门化研究应当是人们努力创建一种综合性的社会哲学的起点——只有当人们的研究并不会使他们只关注他们所在的特定学科的问题的时候,而是开放出了新的问题并开阔了他们的视界的时候,这一努力才会是极富成效的*。

---

* 关于专门化或专科化研究的问题,请参见本丛书第二辑所收入的哈耶克于1956年发表的《专门化或专科化的两难困境》一文。——邓正来注

我曾经希望在我开始正式讲课之前能够先谈一谈这些一般性问题。然而我也清楚地意识到,一个人在还没有了解一个地方的特殊氛围以前就以公开的方式阐明自己的信念是要冒一定风险的。从一个国家到另一个国家迁居的过程中,我得到了若干教训,而其中之一便是:一个论者必须为之奋斗并加以捍卫的知识边界会因为他所在国家的不同而发生变化。我最早是在我搬迁到英国去的时候从我当时研究的专门题域(即工业波动理论)中注意到这种现象的。当时,在德国学界的讨论中,我被视作是从货币角度解释贸易周期的一个代表人物,而在此之前,我也确实强调过货币在这些过程中所具有的作用。但是在英国,我却见到了一种更为极端的纯从货币角度解释贸易周期的理论,这种理论居然将一般物价水平的波动视作是贸易周期现象的本质。结果,我的论点很快就被人们用来反对这种占据支配地位的贸易周期货币理论,并被他们用来强调实际因素的重要性;但是,这种情况对于那些把我视作是货币解释理论的一个典型代表人物的人来说,却是有些无法理解的。

在哲学方面,我也碰到过类似的事情。在维也纳的时候,至少可以这么说,我比较倾向于"维也纳圈子"(the Vienna circle)所主张的逻辑实证主义(logical positivism),尽管我无法接受人们把他们的观点适用于社会科学的某些做法。然而在英国,后来在美国,我却很快发现,有必要反对这两个国家中所盛行的某些比较极端的经验主义观点。因此,如果我在一段时间以后对德国目前的思想状况有了更多的了解,并且再一次感受到这种思想边界的变化,那么我也不会感到惊讶的。比如说,我很可能会发现,我在今天认为应当是可欲的那种对理论重要性的强调,实际上却是不合适的。然而我的一般印象却是,美国的时尚观点传播的速度极快,因此,我准备讲的内容是不可能完全不合适的。但是在结束本次演讲的时候,我还是想指出,如果说我错置了我应当强调的重点,那也至少请你们理解像我这样的人可能会遭遇的这种特殊困难,因为任何一个在离开很长一段时间以后再次回到那个一度曾是他很熟悉的环境的人,实际上都会遇到这种特殊困难。

【注释】

[1]Hither-Austria:弗赖堡所位于的 Breisgau 以及某些与它相邻的地区,在它们属于 Habsburgs 的数世纪中一直被称之为新奥地利。

[2]"The Trend of Economic Thinking",*Ecoaomica*,May,1933.

[3]参见他的论文:"Some Aspects of the Welfare State",*Diogenes*,No. F. 1954,p. 6。

[4]"Die Ureachen der standigen Gefahrdung der Freiheit",h *Ordo*,' Vol. 12,1960 ~ 1961.

[5]特别是这样一些人物的文献:Othmar Spann, F. von Gotfl-Ottlilienfeld, R. Stolnnann,Wemer Sombart。

作为一种发现过程的竞争[*][**]

一

人们指责说，大约四五十年以来，经济学家一直是根据这样一类假设来讨论竞争（competition）问题的：值得注意的是，如果那些假设是对现实世界的真实反映，那么它们就会使竞争变得既乏善可陈又毫无用处。对于这种指责，经济学家是很难为自己做什么辩解的。如果有人真的知道经济学理论所称之为的全部"基据"（data），那么竞争作为确使人们与这些事实相调适的一种方法就肯定是一种既多余又浪费的方法了。因此，也就难怪一些人士会在这种考虑的驱动下得出这样一种结论，即我们完全有能力做到：或者彻底否弃市场，或者只把市场的结果当做旨在确保生产一定量的商品和

---

* 本文译自哈耶克著：*New Studies in Philosophy, Politics, Economic and the History of Ideas*, The University of Chicago Press, 1978, pp. 179 ~ 190。

** 本文最初是我（哈耶克）于 1968 年 3 月 29 日在芝加哥费城学社的一次会议上所做演讲的文稿，只是当时没有讲第二部分；1968 年 7 月 5 日，我又在德国 Kiel 大学的 für Weltwirtschaft 研究院做了同样内容的演讲，但是没有讲本文的结论部分。此前，本文只以德文形式发表过，先是被收入"Kieler Vortrage", N. S. 56. Kiel, 1968；后来，又收入了我的论文集 *Freiburger Studien*, Tubingen, 1969。

服务的初步手段,而在此之后,我们则可以按照我们所希望的任何方式去操纵、修正或再分配这些商品和服务。当然,还有一些人只是根据现代教科书的说教形成了他们对竞争的看法,因此也就自然而然地得出结论认为,竞争是不存在的*。

为了驳斥上述观点,牢记这样一个道理是极有助益的:**大凡**在竞争的运作能够按照理性的方式被证明为正当的**情形**中,它都是以这样一个理据为依凭的,即我们事先**并不知道**那些决定着竞争者行动的事实。显而易见,无论是在体育赛事或各种考试中,还是在政府合同决标或诗歌大奖赛中,如果我们事先就明确知道谁会表现最佳,那么再安排竞争也就毫无意义可言了。

---

* 关于这篇论文,实际上构成了哈耶克于 1979 年出版的《法律、立法与自由》第三卷"自由社会的政治秩序"第十五章"政府政策与市场"的基本纲要。正如哈耶克本人所指出的:"大约在十年以前,本章就已大致写成,而且其中的一部分内容也已发表;后来,我又以本章的内容在 Chicago 和 Kiel 做了公开演讲(题目是'Der Wettbewerb dls Entdeckungsverfahren',载于 *Kieler Vortrage*,No。56,Kiel,1969),而最近又以英文收入了拙著 *New Studies inPhilosophy*,*Politics*,*Economics and the History of Ideas*(Chicago,1978)。在本书中,我对这份原稿基本上未做改动,因为它在本书中已占据了过长的篇幅,因此,试图对这个论题的新近研究成果做任何的探讨,在这里都是不合适的。然而,无论如何,我还是要在这里提及某些论著,因为它们在实质上扩展了我在本章中所阐发的一些观点。这些著作至少包括:Munay Rothbart, *Power and Market* (Menlo Park, 1970), John S. MacGee, *In Defence of Industrial Concentration*(New York. 1971),D. T. Armentano,*The Myth of Antitrust*(New Rochelle, N。Y.,1972),尤请参见 Israel Kirzner, *Competition and Entrepreneurship* (Chicago, 1973)以及 Erich Hoppmann 所发表的一系列德语论文,特别是'Mssbrauch der Missbranchaufsicht',*Mitteilungen der List Gesllschaft*, May 1976, and 'Pmisunelasfizitat der Nachhfrage als Quelle von Marktbeherrschung',载于 H. GutzlerandJ. H. kaiser(ds), *Wettbewerb im Wandel* (Baden-Baden,1976)。"因此,关于这个问题的更为详尽的讨论,请参见上引书,邓正来等译,中国大百科全书出版社 2000 年版,第 365 ~ 413 页。——邓正来注

正如本演讲的题目所表明的那样，我建议把竞争视作是发现某些事实的一种过程，因为不诉诸竞争这种过程，这些事实就不会为任何人所知道，或者至少不会为人们所利用[1]。

初看起来，这种论点似乎是极其显见不争且毋庸置疑的，所以也就不值得人们去关注了。然而，对这种看似自明之理的观点所做的明确阐释，却可以使人们直接得出某些并非如此显而易见但却颇具意义的结论。一则，竞争之所以有价值，完全是因为竞争的结果是无法预见的，而且从总体上来讲，它们也不同于任何人刻意达致或原本想达致的那些结果。再则，竞争所具有的那些普遍有益的影响还必须包括这样一种情形在内，即某些特定的预期或意图会受挫乃至落空。

与上述结论紧密相关的是，那种把竞争视作一种发现过程的明确阐释还在方法论上产生了一个颇具意义的结论。它成功地说明了微观经济学在理论方面的认识进路何以会蒙遭人们不信任的原因。尽管在我看来，这种微观经济理论乃是唯一能够对竞争所具有的作用做出解释的理论，但是它却不再被人们乃至某些自称是经济学家的人所关注了。有鉴于此，我们认为有必要在开篇时就对任何竞争理论的方法论特性做一番讨论，因为这种理论的方法论特性使得这种理论的结论遭到了许多习惯于在决定把什么东西视作是科学的东西的时候采用一种过于简单标准的人的怀疑。在我们了解了人们之所以运用竞争的原因以后，我们必定会得出这样的结论，**即在竞争具有意义的那些情形中**，竞争理论的有效性是绝不可能从经验上得到验证的。我们可以根据某些概念模型对它的有效性进行检测；当然，我们也完全可以在一种人为创造出来的“真实”情形中——其间，竞争旨在发现的那些事实已为观察者所知道——对它的有效性进行检测。但是值得我们注意的是,在这样的情形中,竞争理论并不具有实践的价值,因此,费钱费力进行这种检测本身也就无甚意义了。既然我们不知道我们希望通过竞争这种手段去发现的那些事实,那么我们也就绝不可能探明并确定竞争在发现那些有可能被发现的事实的时候所具有的有效程度。我们能够期望发现的只是这样一个事实,即从总体上来说,那些为此目的而以竞争为依凭的社会,要比其他社会更为成功地实现了它们的目标。显而易见,人类文明史似乎已经极为明确地证实了这个结论。

竞争的特性(这一点与科学方法相同)在于:竞争的绩效不可能通过竞争在其间具有重大意义的那些特定情形加以检测,而唯有通过这样一个事实才能得到证明,即与任何其他可供人们选择的安排相比较,市场具有更大的优越性。那些得到公认的科学手段所具有的优越性,也绝不可能通过科学的方式加以证明,而只能通过日常的经验得到展示,即从总体上来说,它们比其他可供采纳的方法更适合产生令人满意的结果[2]。

经济竞争与极富成效的科学手段之间的区别表现为这样一个事实:前者是一种发现与实现具体且暂时的目的相关的特定事实的方法,而后者则旨在发现那些有时候被人们称作是“一般性事实”(general facts)的东西,亦即表现为事件之常规性的事实。的确,只有当独特且特定的事实有助于佐证或反驳某些理论的时候,科学才会去关注这些独特且特定的事实。由于上述一般性事实所指涉的是我们这个世界所具有的一般且恒久的特征,所以那些科学发现有足够的时间去证明自己的价值。与之形成鲜明对照的是,那些特定事实所具有的助益性,亦即竞争在市场中发现的那些特定事实所具有的效用,在很大程度上讲却是暂时性的。就科学方法的理论而言,由于它无法在科学能发现什么东西的问题上产生某些可以得到验证的预测,所以人们很容易对它产生怀疑。与此同理,由于市场理论无法预测出市场将导致的特定结果,所以人们也极容易对它产生怀疑。据此我们可以说,从性质上来看,竞争理论并不是在它被认为有必要加以运用的任何情形中都能够有所作为的。正如我们将看到的那样,就竞争理论所具有的预测能力而言,它只能够对模式种类做出预测,或者只能够对那种会自我形成的秩序的抽象特征做出预测*,而无法对那些特定事实做出预测[3]。

二

在讨论了上述前提性问题以后,我现在回过头来讨论此次演讲的核心问题。需要指出的是,在某种程度上讲,经济理论似乎一开始就堵死了它对竞争这种过程所具有的特征做出切实理解的门路,因为这种经济理论乃是以有关稀缺产品的某种“给定”供应的假设为其出发点的。但是我们可以追问的是,什么产品是稀缺产品呢?或者什么东西是产品呢?以及这些产品稀缺到了什么程度或有什么价值呢?有关这些问题的答案,正是人们唯有通过竞争才能够发现的。市场过程在每个阶段上产生的那些暂时性结果,本身就可以告知个人应当去寻求什么东西。要对那种广泛分散在一个同样具有广泛分工的社会中的知识加以运用,就绝不能以这样一种假设作为依凭,即个人知道一切为人所知的事物在其各自的环境中可能具有的所有特定的用途并知道如何运用它们。价格会使人们集中关注这样一个问题,即在市场提供的各种各样的物品和服务当中,何者是值得发现的。这意味着个人必须把市场使他们能够加以使用的那种个人性知识和技艺组合起来

---

* 关于这个问题,请参见本丛书第二辑所收录的哈耶克长达8年的研究成果:1955年发表的《解释的程度》和1964年发表的《复杂现象理论》。——邓正来注

(从某些方面来讲,这种组合始终是独特的);此外,这种由个人性知识和技艺组合起来的知识,并不只是甚或首先不是个人在某个权力机构要求他们的情况下便能够列举出来并进行交流的那种有关事实的知识(knowledge of facts)。我所意指的那种知识,毋宁是由一种探明特定情势的能力构成的。只有当那种知识的拥有者能够从市场那里获得有关何种物品或何种服务为人们所需要的信息以及有关人们在多大程度上迫切需要这些物品或服务的信息的时候,个人所拥有的那种知识才会成为有效的知识*[4]。

我相信,以上所述已经足以表明,我在把竞争称之为一种发现过程的时

* 这里值得我们注意的是哈耶克意义上的那种"知识"的性质。W. Butos 曾经对哈耶克的知识含义做过较为明确的总结,即哈耶克头脑中的那种知识,要比那些被纳入主流经济学模式的典型知识宽泛得多:除了价格、数量和价格预期以外,它还意指可以为个人所运用的各种各样的实践性知识,以及那些在很大程度上关涉到行为的一般性规则、传统和社会习俗的默会知识(参见 W. Butos,"Hayek and Geneml Equilibrium Analysis",*Sotahem Economic Journal*,52,1985,October,p. 340)。当然,在我看来,J. Gray 的评价可能更为确切:"我们可以说,哈耶克的著述表明他把吉尔伯特·赖尔所谓的'知道如何'、迈克·博兰尼所谓的默会知识、迈克·奥克萧特所谓的传统知识等都视作我们所有知识的渊源。正是在这个意义上——认为知识的品格在根本上是实践性的——我们可以说哈耶克赞同这样一个命题,即实践在人类知识的建构过程中具有首要性。这并不意味着哈耶克对理论建构事业的轻视,而是他把我们对实践性知识的理论重构视作必然不是全涉的。"[J. N. Gray, *Hayek on Liberty*,Oxford,1984,p. 14;吉尔伯特·赖尔所谓的"知道如何"的知识,则请参见 Gilbert Ryle,"Knowing How and Knowing That",*Proceedings of the Aristotelian Society*,46(1945~1946):pp. 1~16;迈克·博兰尼所谓的"默会知识"的观点,请参见 M. Polanyi,*Personal Knowledge*,London:Routledge & Kegan Pattl,1958,以及 *The Tacit Dimension*,London:Routledge & Kegan Paul,1966;而迈克·奥克萧特所谓的"传统知识"的观点,请参见 M. Oakeshott,*Rationalism in Politics*,London:Methuen,1962;再请参见我关于这个问题的详尽讨论:《知与无知的知识观——哈耶克社会理论的再研究》,载《邓正来自选集》,邓正来著,广西师范大学出版社 2000 年版,第 237~296 页]——邓正来按

候所意指的那种知识是一种什么样的知识。然而,以上那种抽象的陈述还只是几根光秃秃的骨头架子,唯有予以大量且具体的补充并使它变得有血有肉,才能够充分展示出它所具有的实践意义。但是需要指出的是,我对这样一种简明扼要的陈述已经感到很满意了,因为它已然表明了人们通常采取的那种分析方法所具有的荒谬之处——这种分析方法乃是以"所有的事实都被假设为已知的"这样一种情形作为其分析出发点的。这便是被经济理论莫名其妙地称之为"完全竞争或完善竞争"(perfect competition)的那种**事态**。显而易见,这种分析方法没有给那种被称之为竞争的**活动**留出任何空间,因为它断定竞争已经完成了它的使命而不再为人们所需要了。然而在这里,我必须现在就着手对另一个存有更多疑惑或混淆的问题进行检视,亦即那种宣称市场能够以一种自生自发的方式根据它所发现的那些事实调整各种活动的观点有什么意义的问题——或者有关市场使用这种信息为了达到什么目的的问题。

人们之所以在这个问题上普遍存有困扰或混淆,很大程度上是因为这样一个事实所致,即人们错误地把市场所产生的那种秩序当成了一种严格意义上的"经济"(economy),而且还根据那些仅适合于那种服务于一套给定序列的目的(a given hierarchy of ends)的有组织的社会共同体的标准来判断市场过程所产生的结果。但是需要指出的是,这样一种目的序列却不适合于那种由无数的个人经济安排复合而成的复杂结构。颇为遗憾的是,我们也同样用"经济"这个术语来指称上述那种复杂结构,尽管这种复杂结构与那种有组织的社会共同体存在着某种本质上的差异,而且也必须根据不同的标准对其进行评价。一种经济,就该术语的严格意义而言,乃是指一种组织或一种安排。在这种组织或安排中,人们根据一种统一的目的序列对资源进行刻意的配置。但是,由市场产生的那种自生自发秩序却完全不同,因为在一些重要的方面,自生自发的秩序并不是像一种严格意义上的经济那样运行的。特别需要指出的是,这种自生自发的秩序之所以不同于那种严格意义上的经济,乃是因为前者**并不会确保**那些被人们普遍认为较为重要的需求可以始终先于那些较为次要的需求而得到满足*。这也正是人们反对市场这种自生自发秩序的主要原因之所在。实际上,整个唯社会论(socialism)只是这样一种要求,即人们应当把市场秩序[为了避免与一种严格意义上的经济相混淆,我倾向于把它称之为"偶合秩序"(catallaxy)][5]转变成一种严格意义上的经济。在这种严格意义的经济组织或安排中,一种评定需求之重要性的共同尺度,决定了人们在各种各样的需求当中应当满足哪些需求或者不应当满足哪些需求这样的问题。

---

* 关于"经济"与"市场秩序"间的区别,哈耶克在1976年出版的《法律、立法与自由》第二卷第十章"市场秩序或偶合秩序"中更为明确地指出:"一种经济乃是由一系列活动复合而成的,而在这些活动中,人们乃是根据一项统一的计划并且依照彼此竞争的目的的相对重要性而为这些目的配置一系列特定手段的。当然,我们在这里所说的这种经济,乃是在该词的严格意义上使用的。就这个意义言,一个家庭、一个农场或一个企业都可以被称作是一种经济。然而,市场秩序却并不服务于这样一种单一化的目的序列。从这个意义上讲,一般被称为一种社会的经济或一种国民的经济的东西,并不是一种单一化的经济,而是一种由许许多多纵横交错的经济构织而成的网络。这种经济秩序,一如我们所见的那样,与那种严格意义上的单一化经济秩序有着某些共同的形式特征,但却在一个最为重要的特征方面与之截然不同,因为它的各种活动并不受某种单一化的目的序列的支配。有论者认为,社会中个别成员的经济活动是或应当是严格意义上的那种经济的一部分;此外,那种通常被称之为一种国民的经济或一种社会的经济的东西,也应当根据那种与严格意义上的单一化经济相同的标准进行判断和安排。然而,这种观点却是这个领域中的一个主要的错误根源。"(上引书,邓正来等译,中国大百科全书出版社2000年版,第190页,同时亦请参见此后的论述)——邓正来注

唯社会论的这个目标面临着一种双重困难。正如每个刻意建构的组织所表明的那样,只有组织者所拥有的那种知识才能成为严格经济设计方案当中的一部分。与此同时,这种经济(亦即被视作是一种刻意建构的组织)中的所有成员都必须在行动的过程中接受该组织所服务于的那种统一的目的序列的指导。另一方面,市场这种自生自发秩序(或"偶合秩序")相应地也有两个优点:第一,自生自发秩序当中所使用的那种知识乃是该秩序中所有成员的知识;第二,自生自发秩序所服务的目的乃是参与者个人的分立目的,它们不仅不尽相同而且还彼此对立。

上述事实引发了一些认知上的困难,而这些困难不仅使唯社会论者,而且还使所有想评估市场秩序之成就的经济学家都感到十分困扰。因为我们知道,如果市场秩序不服务于某种确定的目的序列,又如果市场秩序就像任何自生自发形成的秩序一样,没有理由说它拥有特定的目的,那么人们也就不可能把市场秩序之结果的价值视作为特定个人产品的总和。依据此一逻辑,当我们声称市场秩序在某种意义上产生了最大化或最优的时候,我们又是什么意思呢?

事实是,尽管那种并不是为了某个特定目的而存在的自生自发秩序,从严格的角度来讲,不能被认为是有目的的,但是它却极有助于实现众多不尽相同的个人目的,而这些目的作为一个整体则是任何个人或比较小的群体所不知道的。实际上,理性的行动只有在一个相当有序的社会中才是可能的。因此,努力成就这样一些条件显然是极具意义的。因为根据这些条件,不确定的任何个人都可以拥有特别多的机会去尽可能有效地实现他们各自的目的——即使人们无法预测出哪些特定的目的在这种情况下会受到青睐,而哪些特定的目的不会受到青睐。

正如我们所见的那样，一种发现过程所产生的那些结果在本质上乃是不可预测的。因此，通过采纳一种有效的发现过程，我们所能够期望的只是增进不确定的任何个人的机会。既然我们选择了这样一种调整社会事务的方法，那么我们唯一能够追求的共同目的，便是那种能够自我形成的秩序所具有的一般性模式或抽象特征。

三

经济学家通常都把竞争产生的那种秩序视之为一种均衡状态（an equilibrium）——从某种角度来看，"均衡"并不是一个很适当的术语，因为"均衡"这个术语预先设定了这样一种情况，即所有的事实都已经被发现了，因而竞争也就停止了。至少就经济政策问题的讨论而言，我认为"秩序"（order）概念要比"均衡"概念更合适。因为在我看来，"秩序"这个概念有这样两个优点：第一，当我们说人们在某种程度上（包括在各种程度上）趋近了一种秩序的时候，这种说法是极有意义的；第二，秩序还可以在整个变革过程当中得到维续。尽管一种经济均衡的状态从来就没有真正的存在过，但是我们却有一定的理由认为，人们在很高的程度上趋近了那种被我们的理论称之为"理想型"（an ideal type）的秩序。

这种秩序首先会在这样一种情形中凸显自身，亦即那些与社会其他成员进行交易的预期（一如我们所知，这种预期乃是所有分立的经济主体制订有关计划的基础）可以在很大程度上得到实现的那种情形。当然，众多的个人计划之所以能够得到彼此调适，实是由我们称之为"负反馈"（negative feedback）的那些因素促成的。有些论者认为，只是在自然科学开始关注自生自发的秩序或"自组织系统"（self-organising systems）的问题以后，我们才逐渐习知了“负反馈”的概念。然而事实上，正如一些睿智的生物学家所承认的那样，“早在克劳德·伯纳德（Claude Bernard）、克拉克·马克斯维尔（Clerk Maxwell）、康农（Walter B. Cannon）或诺伯特·维尔纳（Norbert Wiener）提出控制论以前，亚当·斯密就已经在他所著的《国富论》（*The Wealth of Nations*）一书中极为明确地使用了这个观点。显而易见，这个观点就是他所说的那只极为精确且恰到好处地调整着价格的‘看不见的手’（invisible hand）。斯密的意思实际上是说，在一个自由的市场中，价格乃是由负反馈因素调整的”[6]。

事实上，预期之间的高度应合乃是经由某类预期持续不断的落空而促成的；而我们将会看到，这个事实对于我们理解市场秩序的运行来讲有着至关重要的作用。但是需要指出的是，市场所成就的并不只是促成不同的个人计划达致彼此调适，因为它还能确使人们达致下述两种局面：第一，每种正在被生产出来的产品都是由那些能够以低于任何没有生产该产品的人（以及任何不能把他的精力用于生产某种成本相对更低的其他产品的人）制造出来的，或者是由那些至少能够以与任何没有生产该产品的人（以及任何不能把他的精力用于生产某种成本相对更低的其他产品的人）同样低的成本进行生产的人制造出采的；第二，每种产品都是以低于任何其他人所能够提供该产品的销售价格予以出售的，尽管这些其他人事实上并没有生产该产品。当然，这并不排除这样一种情形，即一些人有可能会获得高出成本许多的利润，如果这些人的成本大大低于某个有能力的可能生产者所要支付的成本。但是需要指出的是，它确实意味着，事实上制造出来的那种商品组合，已然达到了我们所知道的任何已知方法可能达到的最大限度。当然，如果每个人所拥有的或通过努力能够获致的全部知识都为某个机构所支配并被输入电脑(这种发现过程的成本是相当巨大的),那么我们也就不可能达到今天的生产水平了。但是,如果我们采取一种高调的视角亦即用我们尚无任何手段达到的一种理想标准来衡量或判定市场的成就,那么我们就会对市场的成就做出不公正的判断;而如果我们采取一种我们应当采取的低调视角亦即将市场的成就与我们通过任何其他方法能够达到的成就相比较——尤其是与人们在竞争被制止(因而只有那些业已获得某个权力机构所授予的生产或销售某些特定产品之权利的人才能获准去生产或销售这些产品)的情况下所可能达致的那种结果相比较,那么我们就可以对市场的成就做出较为公正的判断。实际上,我们只需要考虑这样一个问题就足够了,即在一个竞争性的制度中,要想发现那些能够为消费者提供比他们业已获得的商品更优质更廉价的商品的方法是极其困难的。在还存在着未经利用的机会的那些情形中,我们通常都会发现,人们之所以仍未利用这些机会,实是因为利用这些机会的做法不是为权力机构通过运用权力(包括强制实施专利特权的措施)所禁止,就是为某种应当遭到法律禁止的私人滥用权力的做法所阻碍。

就此而言,我们绝不应当忘记这样一个要点,即市场只是为人们提供了达致一种 n 维面上某个点的一种途径或进路;而所谓 n 维面,也就是纯经济理论所说的那种代表所有可能性的水平(the horizon of all possibilities)——亦即在可以想到的范围内,有关产品和服务的任何一种比例的组合的生产所可能达到的那种水平。市场在很大程度上把产品的特定组合以及它在个人中的分配问题交给了种种不可预见的情势去决定——在这个意义上讲,也就是交给了偶然情势去决定。一如亚当·斯密早已指出的那样[7],这似乎意味着我们都同意进行这样一场部分由技艺、部分由机遇复合而成的竞赛。这种竞争性的竞赛尽管会使每个个人的份额在某种程度上受到偶然情势的支配,但是却能够确使每个个人获得的份额的真实价值与我们知道如何使其达致的那种价值相当。套用时下的话语来说,这种竞赛并不是一场零和博弈(azero-sum game),而是这样一种竞赛:通过这种竞赛,参赛者只要在竞赛的时候遵循有关规则,那么供他们分享的公共财富就会得到扩大,尽管它同时也会使个人从这种公共财富当中获得的份额在很大程度上受到机遇的支配。当然,一个知道全部事实的人可以选择 n 维表面上他所喜欢的任何一点,并且以他认为正确的方式来分配这种产品。但是需要强调的是,在所有可能性的水平上,我们知道如何达致的唯一一点或者极其接近的一点,实际上就是在我们同意把这个问题交由市场去决定的情形中我们会达致的那一点。我们按照这种方式达致的所谓“最大化”,自然不能被定义为诸多特定事物的总和,而只能根据它为不确定的任何人所提供的机遇——亦即他们获取相对于他们各自份额尽可能多的真实等价物的机遇(这在部分上是由偶然情势决定的)——来界定。一如我们所知,在一种严格意义的经济中,人们所取得的经济结果乃是根据一种统一的价值尺度来评估的,但是市场竞赛的结果却不能按照一种统一的价值尺度加以评估。正是由于这一点,把一种偶合秩序的结果当做一种严格意义的经济进行评估的做法乃是极其误导的。

四

一如前述,把市场秩序理解成一种能够而且也应当按照某种特定的先后顺序满足不尽相同的需求的严格意义的经济,乃是极其错误的。这种错误观念在那些为了实现所谓的“社会正义”(social justice)而凭靠政策措施去矫正价格和收入的努力当中表现得尤为突出。不论社会哲学家赋予"社会正义"这个概念什么含义，这个概念在经济政策的实践过程中几乎始终意味着一件事情，而且也只意味着一件事情：保护某些群体并且确使他们不会从他们已经享有一段时间的绝对或相对的物质地位上跌落下来。然而需要指出的是，如果人们在行事的时候普遍遵循这项原则，那么他们就肯定会把市场秩序的基础摧毁掉。一如我们所知，不但现有收入水平的持续提高要取决于人们能够对种种不可预见的变化做出相应调适，而且在某些情形中，就是维持现有的收入水平也有赖于此。因此，这种情况必定会使某些人的相对份额（甚至还可能是绝对份额）被减少，尽管从任何角度来看，他们都不应当对此负责。

我们应当时刻牢记这样两个要点：第一，**所有的**经济调整皆因种种不可预见的变化而成为必要之举；第二，采用价格机制的全部理由就是为了告知个人：其他人对他们正在做的事情或能够做的事情的需求出于某种不应当由他们负责的原因而减少了或增加了。整个活动秩序对业已变化的情势所做的调适，乃是以人们从不尽相同的活动中所取得的酬报的变化为基础的——这种变化不会考虑有关人士的是非功过。

值得我们注意的是，在这种情形中使用"激励"（incentives）这个术语，往往会产生一些带有一定误导成分的含义，因为它使人们产生了这样一种错觉，似乎这里的主要问题仅仅在于激励人们全力工作。然而需要强调指出的是，价格的主要作用并不是指导人们如何行事，而是指导人们**做什么事情**。在一个不断变化的世界里，即使只是维续一定的富足水平，也需要有一些人以对其努力的方向做持续不断的变化和调整作为支撑，但是，只有当某些活动的酬报得到了增加而另一些活动的酬报有所下降的时候，人们才可能进行这种变化和调整。在相对稳定的条件下,这些调整措施的目的只在于维持收入水平。因此,这些调整措施根本就不可能产生什么“剩余”,供人们用以补偿那些因价格转变而蒙遭不利影响的人。只有在一个迅速增长的系统中,我们才能指望某些群体的物质地位不会绝对下降。

就此而言,现代经济学家往往忽视了这样一个事实:甚至被宏观经济学视作是“基据”(data)的诸多综合指标所表明的那种相对稳定性,其本身也是一种微观经济过程的结果;而我们知道,相对价格的变化就是这种微观经济过程当中的一个不可或缺的部分。正是在市场机制的作用下,原交易过程以外的某个其他人才会经由某种激励而步入交易过程并去填补那种因任何人未能满足其合作者的预期而导致的空缺位置。实际上,所有那些我们喜欢使用的总供需曲线,并不是真正客观的给定事实,而是持续展开的竞争过程所导致的结果。当然,我们也不能指望从统计信息中获致这样的信息,即为了对那些不可避免的变化做出调适,我们需要做出什么样的价格变化或收入变化。

然而,这里的关键要点在于:在一个民主的社会中,人们根本就不可能通过命令的方式来促成那些并不被认为是公正的而且其必要性也绝不可能得到证实的变化。因为一如我们所知,在这样一种民主的政治制度中,刻意采用的调整措施必须始终旨在确使价格保持在一种看上去公正合理的水平上,而这实际上意味着维护价格和收入的传统结构。如果说在一种经济制度中,每个人所获得的收入都是其他人认为他应当获得的收入,那么这种经济制度就必定是一种极其低效的制度——在很大程度上讲,它还是一种令人难以忍受的压制性制度。因此在这种情形中,每一项“收入政策”的作用更可能是阻碍而不是推进价格和收入结构发生变化,而我们知道,这方面的变化恰恰是该经济制度适应种种新的情势所必需的。

与“资本主义”国家相比较,那些信奉唯社会论的国家很可能较少受“社会正义”这种梦魇的困扰,而且也更愿意让那些因发展而处于不利地位的人去承受重负。这实在是当今世界所存在的诸多悖论之一。至少从某些西方国家的情形来看,发展态势之所以看上去很糟而且也没有什么希望,个中的确切原因就在于那种主宰着这些国家政治活动的意识形态使得那些为劳动阶级迅速提升其地位所必需的变化不可能发生;而从另一个角度来看,唯有劳动阶级的地位得到迅速的提升,方能致使这种意识形态消亡。

五

一如前文所述,竞争乃是一种发现探索的过程。在这个过程中,探索者不断寻觅着尚未被人们利用的机会。我们知道,这些机会一旦被发现,那么其他人也可以同样使用它们。如果说在那些高度发达的经济制度中,作为一种发现探索过程的竞争都极为重要,那么它之于低度发达的社会(undeveveloped societies)就有着更大的重要性了。显而易见,上文所述主要侧重于讨论在一定条件下维续一种有效秩序的问题,而这些条件就是:第一,大多数资源和技术已为众人所知;第二,唯有通过不可避免的微小变化方能促成的那些持续不断的调适活动,乃是维续一种特定的收入水平的必要条件。因此,有关竞争在增进技术知识方面所具有的不容争辩的巨大作用的问题,我就暂不讨论了。然而我还是必须强调指出,在一些国家中,由于竞争在过去一直处于不活跃的状态,所以人们在这些国家中的首要任务便是发现社会中所存在的尚未为人们所知的各种机会。因此,竞争在这些国家中有着更为重要的意义。那种认为我们在业已取得高度发展的国家中能够预见并控制那种因技术进一步发展而产生的社会结构的观点,尽管在很大程度上是错误的,但却不是完全荒谬的。然而需要指出的是,那种以为我们在一个低度发达国家(即首要问题仍是发现什么物质资源和人力资源可资使用的那种国家)中也能够事先确定其社会结构的观点,或者那种以为我们能够预测出我们采取的任何措施对这样一种国家所具有的特定影响的观点,就纯属异想天开了。

一如前述,在那些低度发达的国家中,有着太多太多的东西有待人们去发现。然而,除了这个事实以外,还有另外一个事实可以帮助我们说明赋予竞争以最大自由的做法为什么在上述低度发达的国家中会比在那些较为发达的国家中有着更大的重要作用。这个事实便是:只有当少数乐意且有能力尝试新方法的人能够使众人感到有必要效仿他们并且同时又能够为众人指明方向的时候,风俗习惯才可能发生必要的变化。如果众人可以迫使少数人继续因循传统方式,那么必要的发现过程就会受到阻碍或禁止。当然,一些人之所以不喜欢竞争,个中的主要原因之一便是竞争不仅指出了人们如何方能够把事情做得更具效率,而且还迫使那些依赖市场获取收入的人直面这样一种抉择:要么效仿更为成功的人士,要么失去部分或者全部的收入。正是依凭这样一种方式,竞争产生了一种非人力的强制(impersonal compulsion):它迫使无数的个人必须以一种任何刻意的指令或命令都不可能促成的方式去调整他们的生活方式。那种采用中央指令的方式去服务于所谓的"社会正义"的做法,很可能是一种唯有富裕国家才能够负担得起的奢侈之举,因为只有在这些富裕的国家当中,这种做法才有可能不会在较短的时间内致使它们的收入蒙遭太大的减损。但是对于贫困的国家来说,采取中央指令的方式去服务于所谓的"社会正义"的做法,却肯定不是这些国家能够据以增进它们对迅速变化的情势做出相应调适的一种方法——然而我们知道,这些贫困国家的发展却必须以这种调适为基础。

就此而言,我们也许还应当讨论一下这样一个问题,即一个国家未加利用的机会越多越广,它得到发展的可能性也就可能越大。虽然从表面上看这似乎有些不可思议,但是在很多情形中,高增长率不过是一种证明人们在过去无视或忽视这些机会的证据而已。因此,高增长率有时候只能够证明人们在过去采纳了糟糕的政策,而不能够证明他们现在执行的政策很英明。据此我们可以说,那种期望业已高度发达的国家的增长率能够与那些因法律和制度方面的桎梏而在此前长期阻碍了人们有效使用资源的国家现在所可能暂时达到的增长率一般高的观点,实是无甚道理可言的。

从我对这个世界的观察和认识来看,那些愿意尝试各种新的可能性的人的比例在各地基本上是相同的。当然,就这种尝试活动而言,还需要满足两个前提条件:第一,在他们看来,这些新的可能性意味着更好的发展前景;第二,他们对这些新可能性的尝试不会受到其同胞之压力的阻碍。但是颇为遗憾的是,许多新兴国家都缺乏一种企业精神;当然,这种情形并不是个体居民所具有的一种不可改变的本性,而是那些现行的惯例和制度强加于这些个人的诸多压制性措施所造成的后果。这种情况同时也解释了为什么上述社会注定会允许采用集体意志(the collective will)去指导个人活动,而不是把政府权力严格限于保护个人以抵御来自社会的各种压力。显见不争的是,唯有凭靠私有财产权制度和整个自由主义的法律制度,才能够保护私人的创新努力和私人的企业精神。

【注释】

[1]在我完成这篇论文的写作以后,我关注到了 Leopold von Wiese 就"Die Konkanenz,

vorwiegend in soziologisch-systematischer Betrachtung"问题所写的一篇论文，发表在：*Verhandlungen des 6. Deutdchen Soziologentages*，1929。在该书的第27页，他探讨了竞争所具有的"实验"（experimental）性质。

[2]参见已故的迈克·博兰尼（Michael Polanyi）在其所著 *The Logic of Liberty*（London，1951）一书中所做的颇具意义的研究，因为那些研究表明他是如何从科学方法的研究转向对经济事务中竞争的研究的。另请参见卡尔·波普尔（K. R. Popper），*The Logic of Scientific Discovery*，London，1967。

[3]有关"模式预测"（pattern prediction）的性质，请参见拙文："The theory of complex Phenomena," in *Studies in Philosophy*，*Politics and Economics*，London and Chicago，1967。

[4]参见 Samuel Johnson in J. Boswell，*Life of Samuel Johnson*，L. F. Powell'servison of G. B. Hill'sedition，oxford，1934，Vol. Ⅱ，p. 365（18April1775）："知识有两种：我们或是自己直接知道某一事物，或是知道我们能够从哪里发现有关它的信息。"

[5]有关这个问题的更为详尽的讨论，请参见拙著：*Law*，*Legislation and Liberty*，Vol. Ⅱ，The Mirage of Social Justice，London and Chicago，1976，pp. 197～120。

[6]参见 G. Hardin，*Nature and Man's Fate*（1951），Mentored. 1961，p. 54。

[7] Adam Smith，*The Theory of Moral Sentiments*，London，1759，part Ⅵ，chapter 2，penultimate paragraph，and part Ⅶ，section Ⅱ，chapter 1.

《通往奴役之路》

——十二年以后[*][**]

如果我当初撰写《通往奴役之路》(*The Road to Serfdom*)这本书的时候主要把美国人当做读者对象,那么我在当时就会按照多少有些不同的方式撰写这本书。但是需要指出的是,美国迄今为止的发展趋势已经明确表明,对这本书做任何改写都是不可取的——尽管这不是我在当时能够预料到的。然而,这本书第一次出版距今已有十多年了,因此我想借该书重版这个适当的机会,解释一下我当初写这本书的目的,并且简要地谈一谈这本书在美国所取得的完全出人意料的且从许多方面来看有些令人不解的成功。

这本书是我在第二次世界大战期间在英国写成的,而且在很大程度上讲,它的读者对象也只是英国人。实际上,这本书主要是写给英国一批非常特殊的读者看的。当然,我当时把它题献给"所有党派中的社会主义者",也

---

* 本文译自哈耶克著:*Studies in Philosophy*, *Politics and Economics*, The University of Chicago Press, 1967, pp. 216 ~ 228。

** 本文是我为《通往奴役之路》1956 年美国平装本(The Road to Serfdom, Universyty of Chicago Press, 1956)所写的前言。

绝无愚弄嘲笑之意。这本书的撰写，渊源于我在此前10年期间与一些颇为同情左派的朋友和同事之间所进行的许多讨论，而正是基于对那些论辩的展开，我写成了《通往奴役之路》这本书。

当希特勒在德国谋得政权的时候，我已经在伦敦大学执教有好几年了。但是直到第二次世界大战爆发以前，我一直密切关注着欧洲大陆的局势，而且当时我也能够做到这一点。因此，我对各种全权主义运动（totalitarian movements）的起源和发展过程的认识，使我感到英国的公众舆论，尤其是我的那些对社会问题持有“高深”见解的友人的看法，完全误解了那些运动的性质。这种情况促使我甚至在第二次世界大战爆发之前就撰写了一篇短文，对后来成为《通往奴役之路》这本书的核心论辩做出了陈述。但是第二次世界大战爆发以后，我却感到，这种普遍存在的对我们敌对国的政治制度的误解，以及不久又产生的对我们盟国（即苏联）的政治制度的普遍误解，实际上构成了一种极其严重的危险，而为了直面并揭示出其间所存在的问题，我们必须做出更为系统的努力。再者，在当时，还有一个问题也是相当显见不争的，即英国本身就可能会在战后实验一些诸如此类的政策，而这类政策正是我确信曾经在很大程度上帮助摧毁了其他国家人民之自由的那些政策。

因此，这本书也就逐渐变成了对英国社会主义知识分子提出的一种警告。当然，战时的情势不可避免地延误了本书的撰写工作，所以这本书只是到了1944年初春才在英国出版。顺便提一句，这个出版日期同时也可以解释为什么我在当时会产生这样一种想法，即为了使读者能够接受这本书和其间的道理，我就必须在评论我们的战时盟国政权时有所节制，同时也必须从德国的发展态势中去选择我所需要的主要例证。

这本书的出版似乎适得其时，而且我对这本书在英国取得的成功也深感满意：尽管它在英国取得的成功与它在美国的成功在性质上截然不同，但是它在英国的发行量却并不少于它在美国的发行量。从总体情况来看，人们在看待这本书时所持的态度，基本上与我撰写此书时的心情相同，该书中提出的论辩也得到了它的主要读者群的严肃检视。只有工党的某些政治领袖以这本书出自一个外国人之手为由对它进行了攻击——仿佛就是要为我阐发的唯社会论（socialism）具有民族主义趋向的观点提供例证似的。当然，一般的读者也肯定发现了这本书的结论实是与他们所持有的最坚定的信念截然相反的，但是与那些工党政治家不同，他们却以一种严肃认真且可以接受的方式对它进行了检视，这可以说给我留下了极为深刻的印象[1]。

在后来出版这本书的其他欧洲国家，情况大体也是如此。特别需要指出的是，当瑞士出版的译本终于流传到德国的时候，纳粹以后的一代人也对这本书表达了由衷的欢迎；这可以说是我从出版这本书中享受到的诸多事先未曾想到的快乐之一*。

这本书在英国出版几个月后就在美国出版了，然而它在美国受欢迎的情形却是相当不同的。当初，在撰写这本书的时候，我几乎想都没有想过它

---

* 关于这一点，需要补充指出的是，《通往奴役之路》这本书出版的消息乃是通过那些阅读了发表在《读者文摘》上的该书缩写本的前战俘而传到德国的。当时占领了德国的盟军诸国以正式公告的形式禁止该书在德国出版发行，因为他们认为该书的出版发行有可能会损害他们与苏联的友好关系。尽管有禁令，但是人们仍将这本书中的精彩部分摘录下来并以打印稿的形式在德国广为流传。请参见S. Kresge and L. Wenar, ed, *Hayek on Hayek: An Autobiographical Dialogue*, Routledge, 1994。——邓正来按

是否有可能对美国读者有吸引力这样的问题。自我上次作为一名研究学者造访美国到该书在美国的出版，已有 20 年了。在那段时间中，我几乎没有关注过美国思想的发展进程。当时，我对我的论辩与美国的情形究竟有多少直接相关性这一点毫无把握可言，因此，当最初联系的三家美国出版社事实上拒绝出版这本书的时候，我一点儿都没有感到惊讶*[2]。

最出乎我意料的是，这本书由现在的出版商出版发行以后，它的发行量便很快就开始以同类书（并非为大众消费而写的作品）几乎不可能达到的速率激增[3]。更令我感到惊讶的是两个截然不同的政治派别对这本书做出的强烈反应：这本书从有些人那里得到的美誉和赞扬，绝不亚于它在另一些人那里激起的仇视和愤怒。

与我在英国的经验截然相反，因为在美国，这本书的主要读者可能根本就没有好好看一看这本书便对它进行了抨击，并把它视作是对他们最为珍视的理想的一种恶毒且恶意的攻击；他们似乎从来就不曾对这本书中的论辩做过认真的检视。的确，一些人在猛烈抨击这本书时表现出来的情绪和使用的语言，甚至都到了不同寻常的程度[4]。但是，同样令我深感惊讶的

---

* 的确，哈耶克于 1944 年出版的《通往奴役之路》在英国赢得了广泛的读者，并且在美国也引起了一次轰动。1946 年，哈耶克还应邀前往美国做巡回演讲，并为自己争得了 15 次满堂彩。但是，值得我们注意的是，哈耶克应邀前往美国做巡回演讲一事，纯属偶然，而且也完全出乎哈耶克本人预料之外。该书出版后在美国发行，并且改成缩写本在畅销流行的《读者文摘》上刊登，引起巨大轰动。原本拒绝出版该书的美国出版商则联合商业演讲机构，应合这一轰动之势改变了哈耶克访美的计划，要求哈耶克在抵达美国的第二天就开始巡回演讲，为期 5 周。但是哈耶克认为："这本书在美国被接受的方式完全不同，在美国受到了瞩目，这是我始料未及的。……尽管长期以来，我一直在试图抵挡那种把我从纯理论拉向更为实际工作的诱惑，这一点最终对我的生活产生了很大的影响。"参见 S. Kresge & L. Wenar, *Hayek on Hayek*, London: Routledge, 1994, pp. 102 ~ 103。——邓正来按

是，这本书却得到了许多我想都没有想过会读这种书的人的热情欢迎——更有甚者，这本书还得到了更多我直到现在仍然怀疑是否真正读过这本书的人的热情欢迎*。我必须补充指出，这些人对待它的方式，有时候倒使我更加清楚地认识到了阿克顿勋爵下述文字的精辟之处："自古到今，自由的真诚朋友可以说寥寥无几，而且自由所获得的成功也始终是少数者努力的结果。他们之所以胜出，其原因乃是他们一直与其他辅助者相联合，尽管这些辅助者的目标常常与自由人士本身的目标不尽相同。但是需要指出的是，这种联合始终存在着危险，有时甚至是灾难性的。"

一如前述，大西洋两岸对这本书的反应极其不同，但是我们却不可能把这种情况完全归因于国民气质的差别。自那时以来，我越来越相信，之所以会出现这个问题，肯定是该书出版地的思想氛围不同。

---

* 对于那些比较倾向于唯社会论的知识分子来说，哈耶克的警告简直就是一种刺耳的噪音。诸如卡尔纳普（Rudolf Carnap）这样一位名重一时的逻辑实证主义哲学家（当时他已安全地居住在美国），就写信给波普尔，指责他赞扬"这本（卡尔纳普认为的）他并没有读过的"《通往奴役之路》。凯恩斯尽管写信给哈耶克赞扬了这本书，并声称完全同意这本书的观点，但是却以一种傲慢的方式为其行为辩护说，世界上所有取得权力的知识分子迟早会成为他人的牺牲品："因此，在我看来，我们所需要的并不是改变我们的经济方案，因为这只能在实践上导致对你的哲学结论的否弃；但是，你的做法或许会使你走向反面，亦即夸大这些结论。你将面临的最大的危险乃是你的哲学在美国的运用很可能会以一种相当极端的形式在实际中失败。不，我们所需要的乃是恢复正确的道德思维——向我们社会哲学中确当的道德价值的回归。只要你将你的讨伐转向这个方向，那么你就不会感到或被认为像唐吉·诃德。我要在一个问题上指责你，因为你可能是有一点将道德的问题同物质的问题混为一谈了。危险的事情可以在一个思想正当和认识正确的社会中得到安全的实施，而如果它们为那些思想错误和认识有问题的人所实施，那就不可思议了。"参见 S. Kresge & L, Wenar, *Hayek on Hayek*, London: Routledge, 1994。——邓正来按

在英国,一般来说也就是在欧洲,我所讨论的那些问题早已不是什么抽象的问题了。再者,我所考察的那些理想早就不是什么幻想了,即使是那些最热诚倡导这些理想的人士也已经切实认识到了落实这些理想可能会造成的一些困难和意外后果。因此,我所论述的那些现象,实际上乃是这本书的绝大多数欧洲读者多多少少在过去亲身经验过的事情,而我只是用一种系统且逻辑自恰的方式对许多人早就在本能上有所感觉的事情做出论证而已。此外,那里的人们也早就对这些理想产生了一种失望情绪,而对这些理想的批判性检讨也只是使人们更为明确地或更无顾忌地把这种情绪表达出来罢了。

然而在美国,这些理想仍然很新鲜,而且也更加危险。这些理想对众多美国知识分子的影响只有 10 年或 5 年,而不像英国的知识分子那样,因为他们已经受这些理想的影响有四五十年了。再者,尽管美国人进行了"新政"(the New Deal)的实验,但是他们希望凭靠理性去建构一个全新社会的热情,在很大程度上讲依旧没有经由实践经验而真正扎根于人们的生活和制度之中。大多数欧洲人所认为的那些在某种程度上已属老套套(vieux jeu)的东西,在美国的激进派那里却依然是对一个更美好的世界的光辉灿烂的希望——他们实际上只是在不久前的大萧条年代里才开始持有并坚定这样一种希望的。

在美国,公众意见的变化是很快的。即使是现在,人们已经记不得这样一件事情了:在《通往奴役之路》一书出版以前,一些人一本正经地鼓吹最为极端的经济计划并主张效仿苏联模式,然而没过多久,他们摇身一变却成了对公共事务具有重要影响力的人物——相对来讲,这种变化或转变实在是太快了。就这件事情给出确切的依据,对于我们来说实是轻而易举之事,但是现在用指名道姓的方式把那些人一一点出来,却不免有些令人反感。实际上,我们只需指出这样一个事实就足够了:1934 年,新成立的国家计划署花了大量的力气去研究德国、意大利、苏联和日本这四个国家所确立的计划范例。然而只过了 10 年,人们却又开始把这四个国家称之为"全权主义"国家,先是同其中的三个国家打了一场旷日持久的大战,尔后不久又同第四个国家开始了一场"冷战"。然而,我在这本书中提出的有关这些国家中的政治发展与它们的经济政策之间存有某种关系的主张,当时却仍然遭到了美国那些倡导计划的人士的怒斥。可是没过多久,美国又突然时髦起这样一种做法:人们开始否认计划的灵感源自苏联,并且认为——正如一位批判拙著的著名批评者所说的那样——"显见不争的事实是,意大利、苏联、日本和德国虽然选择的道路截然不同,但最终却都变成了全权主义国家。"

由此可见,当《通往奴役之路》一书出版的时候,美国的整个思想氛围正处在这样一种状态之中,即该书的出版注定会使那些矛盾尖锐的群体之成员不是感到勃然大怒就是兴高采烈。因此,尽管这本书取得了表面上的成功,但是它在美国却没有产生我所希望的那种效果或者说没有产生它在其他国家取得的那种效果。的确,这本书的一些主要结论在今天已经得到了人们的广泛接受。如果说那种认为法西斯主义和高度集权论只是中央控制所有经济活动的安排所趋于导致的同一种全权主义的不同变异的观点在 12 年以前对于许多人来说还是在亵渎神灵的话,那么这种观点在今天已经变成一种几乎人所皆知的常识了。今天,人们甚至还广泛地承认,民主社会主义(democratic socialism)是一个极不可靠且不稳定的安排,因为它被各种内在矛盾所支配,而且还会在任何地方酿成一些就连许多倡导民主社会主义的人都最为厌恶的后果。

今天的人们之所以能够保持较为清醒的头脑,与其说是因为拙著的作用,不如说肯定是因为诸多事件给人们提供的教训和人们就这类问题所做的一些更为通俗易懂的讨论[5]。当这本书出版的时候,我在该书中所阐发的那个一般性命题本身并不是什么原创的观点。尽管人们在此前提出的类似警告已经在很大程度上为人们所遗忘,但是在我批评的那些政策当中所隐含的那些危险在此之前就已经为人们一再指出了。如果说这本书有什么优点的话,那并不在于它重申了这个旧有的命题,而在于它对计划经济为什么会产生这类意外后果的原因以及这类意外后果据以产生的过程进行了耐心而详尽的考察。

正是出于这个原因,我倒是希望,就美国的情况而言,现在要比此书最早出版的时候更有利于美国读者对该书中的真正论点做严肃认真的思考。尽管我认识到,这本书主要意在反对的那种狂热的唯社会论——亦即那场旨在由作为生产资料首要所有者的国家对经济生活进行刻意管制的有组织运动——在西方世界已经病入膏肓,但是我相信该书的重要论辩仍有着极为重大的现实意义或作用。这个意义上的唯社会论世纪(the century of socialism)很可能在1948年左右就大体已告寿终正寝了,甚至这场唯社会论运动的领袖们都已经否弃了个中的诸多幻想。此外,无论是在美国还是在别的什么国家,唯社会论这个名称也已然大大丧失了它原有的魅力或吸引力。毋庸置疑,仍会有人尝试着去拯救这个名称并用它去指称一些较少教条、不太呆板且不那么系统的运动。但是需要指出的是,如果一种论辩仅仅旨在反对那些构成以往唯社会论运动之特征的明确的社会改造观念,那么从今天的情势来看,这种论辩就极可能像是在与一种并不存在的假想敌进行斗争。

的确,狂热的唯社会论很可能大势已去,但是它的某些观念却已经深深地植根进了当今的整个思想结构之中,因此人们没有任何理由可以自鸣得意。在今天的西方世界,几乎不再会有人试图根据某种理想蓝图去彻底重构社会,但是许许多多的人却仍然会信奉这样一些措施——这些措施虽说并不完全旨在重构经济制度,但是它们累积起来的效果,却极可能在人们并非意图的情况下导致这种后果。再者,与我撰写这本书时的情形相比较,更为严重的乃是这样一种情况,即倡导那些从长远来看与维护自由社会不相容合的政策,已不再是一种党派的问题了。那些以福利国家(the Welfare State)的名义出现的东拼西凑且常常彼此矛盾的理想,已经在很大程度上取代了唯社会论,并且成了改革者的目标。如果我们不想让人们在追求这个目标的过程中导致特别类似于成熟的唯社会论所可能造成的那些后果,那么我们就必须对这一大堆理想进行认真的甄别。这并不是说唯社会论的一些目标不切实际或不值得称颂,而是需要强调指出的是,我们在追求某个相同目标的过程中有许多方式,而且从眼下的舆论来看,社会中存在着某种主张一步到位的危险情绪,这种情绪会促使我们去选择某些虽说在实现特定目的的方面可能更为有效但却与维护自由社会不相容合的手段。在原本通过修正一般性法律规则的方式(虽说会更缓慢一些)有可能达到同样目标的情况下,现在日益盛行的却是依赖行政强制和自由裁量的趋势;在原本通过审慎地运用财政激励有可能唤起个人自生自发的努力的情况下,现在日益盛行的却是诉诸国家直接控制的方法或建立垄断机构的方法的趋势。需要指出的是,这种日益强盛的趋势仍然是唯社会论时代留下的一项强大的遗产,它很可能会在未来很长的一段时间中继续对政策发生影响。

正是考虑到在今后的岁月里,政治意识形态不可能旨在实现某个明确界定的目标,而只会旨在推进某些点滴的变革,所以充分理解这样一个过程在今天才会具有极为重要的意义。因为在这个过程中,某些种类的措施能够把市场经济的基础摧毁掉,而且还会一点一点地把自由文明所具有的各种创造力量扼杀掉。只有当我们懂得了某些种类的经济控制措施为什么会并如何使自由社会的驱动力量丧失效力以及哪些种类的措施在这个方面特别危险的时候,我们才能够指望社会实验不会把我们引向任何人都不想看到的局面。

这本书所旨在达到的目的正是在完成这项使命的方面做出自己的贡献。我希望,至少在当下较为平静的气氛中,这本书能够得到恰当的理解,亦即它并不是一种反对任何改良或实验的主张,而只是这样一种告诫:我们应当坚持主张,在我们从事很难有什么退路的事业以前,我们对制度性安排所做的任何修正都必须先通过某些标准的检测(我在《通往奴役之路》一书有关"法治"的核心章节中讨论了这些标准)。

一如前述,我最初撰写这本书的时候只是把英国大众作为它的读者对象;然而,这个事实却并不会严重影响到美国读者对该书的理解。需要指出的是,为了避免引起人们的误解,我应当在这里对一个术语做些解释。我在《通往奴役之路》一书中使用"liberal"(自由的和自由主义的)这个术语的时候,都是从该术语的原初含义即它在19世纪时的含义上加以使用的。这一含义在英国可以说至今未变,但是根据目前的美国用法,它却常常意指与其本意几乎完全相反的事情。长期以来,这个术语一直是美国左派运动的一部分伪装,并因此而得到了许多真正信奉自由但却头脑相当糊涂的人的帮助。正是在这种情况下,"liberal"这个术语最终变成了采取几乎任何一种政府控制措施之主张的同义词。我至今仍然不明白,为什么那些真正信奉自由的美国人不仅允许左派盗用这个几乎不可或缺的术语,甚至自己也开始把它当做一个不名誉的术语加以使用并由此去帮助左派。这种情况之所以特别令人感到遗憾,实是因为它致使许多真正的自由主义者都开始把自己称作是保守主义者,而不再称作是自由主义者。

当然,在同极权国家信奉者的斗争中,真正的自由主义者有的时候确实必须同保守主义者并肩作战,而且在某些情势中,一如在当今的英国,真正的自由主义者除此之外也很难再有什么其他的途径可以去积极地追求他们自己的理想。但是,真正的自由主义毕竟不同于保守主义,因此将它们二者混为一谈是极其危险的。保守主义虽说是任何稳定社会中的一个必要成分,但却不是一项社会纲领。就保守主义所具有的家长统治式的、民族主义的和崇拜权力的那些倾向而言,它往往更趋近于唯社会论而非真正的自由主义。由于保守主义具有固守传统的、反智的、常常还有些神秘主义的倾向,所以除了在幻想破灭的短暂时期以外,保守主义对于年轻人以及所有相信进行某些变革乃是可欲之举——如果我们想让这个世界变成一个更美好的世界——的其他人来说,根本就没有什么吸引力可言。保守主义运动,因其性质所致,注定会成为既得特权的捍卫者,而且也注定会仰仗政府的权力去保护这种特权。然而需要指出的是,如果按照严格且原初的含义来理解特权,即国家赋予某些人以其他人在同等情况下无法获得的权利并且对之加以保护,那么自由主义的实质便在于否认一切特权。

的确,在大约过了12年的岁月以后,我还是决定让这本书原封不动地重新出版。因此,我也许有必要在这里对这个做法多解释几句。实际上,我曾多次打算修改它,而且我也愿意用更多的篇幅对其间的诸多论点进行解释,或做出更为详尽的陈述,或用更多的说明和证据来支持它们。但是试图重写此书的想法只是证明了这样一个事实,即我绝对无法再用这样少的篇幅写出一本涉及一个如此之广泛的领域的书。在我看来,不论这本书有什么其他优点,论述的相对简洁实在是这本书所具有的最大的优点。因此,我只能得出这样一个结论:不论我想补充什么,我都必须另做研究。实际上,我已经在不同的论文中开始做这件事了,其中的一些论文对这本书仅仅触及的某些哲学问题和经济学问题做了更为深入的讨论[6]。有关这本书所批判的那些思想的根源以及那些思想同这个时代最强有力、印象最为深刻的思想运动间的关系这类特殊问题,我也已经在另一本书中进行了评论[7]。此外,我还希望不久便能够通过对平等与正义间关系进行更为详尽的讨论而使这本书中过于简要的核心章节得到充实*[8]。

的确,读者完全有理由要求我在这里对一个特殊的论题做出评论,然而我必须承认,如果我不写一本新书,那么我想对这个论题做出适当而充分的讨论也是不可能的。《通往奴役之路》一书出版后刚过一年,英国便出现了一个唯社会论的政府,并且执掌政权长达 6 年之久。这段经验究竟在多大程度上证实了或驳倒了我的那些担忧呢?对于这个问题,我必须做出答复,

---

* 哈耶克对这个问题的讨论,在我看来,实际上与这样一个事实有着某种关系。众所周知,《通往奴役之路》这本书原来是写给学院派经济学家和社会科学家看的,尽管当时像 A. C. Pigou 和 Aaron Director 这样一些著名学者都高度赞扬了该书的学术水平,熊彼特甚至在评论该书的最后几章时指出:"读者们会很高兴地读到一位杰出的经济学家的观点,他是我们这个时代最杰出的经济学家之一"(参见 J. Schumnpeter, *Journal of Political Economy*, Vol. 54, 1946, p. 269;转引自 Machlup, Hayek's Contribution to Economics, Essays on Hayek, ed., F. Machlup, Roufledge & Kegan Paul Ltd, 1977, p. 40)。但是也有不少经济学家对这本书颇有微词,仿佛读了它就会降低他们身份似的。这个方面最为明显的事例是美国芝加哥大学经济学系的教授们于 1946 年反对哈耶克去该系任教。John Nef 在回忆当时的(接下页注)

至少也要尝试着给出一个简要的答复。实际上,这段经验只是强化了我的担忧,而且除此之外,我相信我还可以指出,这段经验向许多根本无法用抽象论证的方式使其信服的人证实了我曾指出的那些困难的真实性。实际上,在工党政府执掌政权后不久,被那些批评我的美国人视作妖魔化问题而不予正视或不予考虑的某些问题,却在英国变成了政治讨论的主要论题。没过多久,甚至官方文件也开始严肃地讨论起经济计划政策所引发的全权主义危险。他们所推行的政策的内在逻辑驱使一个唯社会论政府不情愿地采取了一种它并不喜欢的强制措施。就个中的方式而言,英国《1947 年经济概览报告》(the Economic Survey for 1947)——亦即英国首相于 1947 年 2 月提交给议会的那份报告——中的下面这段文字及其造成的后果,实是一个最好的说明:

(接上页注) 情形时指出:“在我造访英国期间,在伦敦面晤了 T. S. Eliot 和哈耶克两位先生。这使我能够为芝加哥大学的社会思想委员会做出这两个重要的教职安排。哈耶克接受了一个他注定会保有约 15 年之久的常设性教职。芝加哥大学经济学系对他能去社会思想委员会担任教职一事表示欢迎,尽管这些经济学家曾在 4 年前反对他到经济学系任职,这在很大程度上是因为他们认为《通往奴役之路》这本书太过流行,而一个受人尊敬的学者是不会写这样的书的。只要他不被视为是经济学家,那么他在芝加哥大学任教就不会有什么问题。”(John Nef, *Search for Meaning*, p. 37)正是在这种情况下,哈耶克于 1950 年 10 月作为社会和道德科学的教授正式开始在芝加哥大学社会思想委员会执教。后来,哈耶克本人也解释说:“在《通往奴役之路》一书出版以后,我觉得我在相当程度上毁了自己的职业声誉,我不想再触怒他人。我想被科学共同体接受,所以做了一些纯科学的而且与我的经济学观点没有什么关系的工作。”(参见 S. Kresge & L. Wenar, *Hayek on Hayek*, London: Routledge, 1994, p. 152)这实在是人类思想史上的一个尴尬时期。更值得我们注意的是,哈耶克本人也对这本书的学术水平并不感到满意。请参见 S. Kresge and L. Wenar, ed. , *Hayek on Hayek: An Autobiographical Dialogue*, Routledge, 1994, p. 24。——邓正来按

> 全权主义计划（totalitarian planning）与民主计划（democratic planning）之间存在着一种本质的区别。前者使所有的个人欲求和偏好都服从国家的要求。为了达到这个目的，它会采用各种方法对个人施以强制，进而剥夺个人的选择自由。当然，在进行大规模战争的紧急状态中，这类方法甚至在一个民主国家里也是极为必要的。因此，英国人民授权他们的战时政府管理并领导劳工。但是在和平时期，一个民主国家的人民是不会把自己的选择自由拱手交给政府的。由此可见，一个民主政府必须以一种尽可能最大限度地保护每个公民选择自由的方式去实施它的经济计划。

颇为重要的是，在明确表示这一值得称颂的意图仅仅6个月以后，这个工党政府却发现，甚至在和平时期它也不得不把征用劳工问题重新用法令规定下来。即使人们指出这项权力事实上根本就没有使用过，仍很难减弱这项权力所具有的重要意义。因为众所周知，假如人们知道权力机构有权进行强制的话，那么肯定不会有什么人甘冒风险去接受实际的强制。但是，值得我们注意的是，这个政府在同一份文件中又宣称，现在“应当由政府来说明什么才是符合国家利益的对资源的最佳运用”，而且也应当由政府来“制定本国的经济任务：它必须指出什么事情是最重要的，而且还必须指出何者才应当成为政策的目标”。令人颇为费解的是，这个政府在做如此主张的同时又如何能够坚守它的那些幻想呢？

当然，6年的唯社会论政府在英国并没有酿成任何同全权主义国家相类似的结果。但是，那些认为这个事实驳倒了《通往奴役之路》之命题的人，实际上并没有领会该书中的一个主要论点：政府实施广泛控制所导致的一种最为重要的变化乃是一种心理变化,亦即民族品格上的一种变化*。这必定是一个缓慢的过程,这个过程不是几年,而有可能是一两代人的时间。重要的问题在于:一个民族的政治理想及其对权威的态度,在很大程度上讲,既是该民族生活于其间的政治制度得以存在的原因,也是这种政治制度的结果。这至少意味着:如果危险在于新的制度和政策会一点一点地摧毁政治自由精神赖以为凭的基础进而毁灭那种精神本身,那么即使一个强有力的政治自由传统也是无法为人们提供任何保障的。当然,如果那种精神能够在该民族中及时地得到重新盛行,又如果该民族不仅会抛弃那个把他们在危险的方向上越带越远的政党,而且还认识到了危险的性质并毅然地改变自己的发展方向,那么上述后果也是可以避免的。然而,我们至今还没有多少理由可以相信,英国已然出现了我在上面假设的两种情况。

然而,英国民族品格所发生的变化——亦即不仅是在工党政府的统治下而且也是在享受着家长式福利国家无微不至关怀这个更长的期间里所发

---

* 的确,哈耶克反复指出,在《通往奴役之路》一书中,他所提出的并不是一种历史主义的论点,亦非对一种逻辑必然性的主张。他所提出的乃是这样一种论点,即如果隐含于中央计划经济和社会之过程中的极权主义趋势得不到制约,那么俄国和德国的命运也同样会成为英国和美国的命运。这在当时实在是一个令人惊醒的警告。然而,随着时间的推移,英美两国并没有变成极权主义国家的事实,却被一些论者征引来质疑哈耶克的警告。1945 年 4 月由芝加哥大学圆桌社与全美广播公司共同举办了一次哈耶克与两位芝加哥大学教授 Maynard C. Krueger 和 Charles E. Merriam 就《通往奴役之路》的广播"圆桌讨论",这次讨论表明了计划者的敌意和他们的错误认识,以及一些人在当时宣泄在哈耶克个人身上的愤怒和不理解。就像一位圆桌会议的与会者在质疑他时所说的那样:"我认为,我们的计划并没有导向奴役,而是导向了自由,导向了解放,导向了人性在更高水平上的展现。"关于这次"圆桌讨论"的纪要全文,请参见 S. Kresge & L. Wenar, *Hayek on Hayek*, London:Routledge,1994。——邓正来按

生的那种变化——则是明确无误的。当然,证明这些变化并非易事,但是只要你生活在那个国家,那么你就很容易感受到这些变化。为了对此做出说明,我想从一份有关过度管制对年轻人的态度所造成的影响的社会学调查中征引几段颇具意义的文字。这项调查所关注的乃是工党政府执掌政权以前的情势,实际上也就是这本书出版时的情势。此外,这项调查还侧重讨论了工党政府使之变得长期有效的那些战时管制措施所造成的后果:

在这个城市里,人们首先感到的是选择的范围正在消失得无影无踪。在学校里、在工作场所、在旅途的往返过程中,甚至在家庭设施和必需品方面,人们通常可以进行的许多活动,不是遭到禁止,就是人们依据命令而进行的。这里还建立了所谓“公民咨询署”(Citizens' Advice Bureaux)这样的特殊机构,用多如牛毛的规则去指导无所适从的人们,并且给一些不停咨询的人指出个人仍有可能进行选择的极为罕见的领域。……(这个城市的青少年)处于这样一种境况之中:事先不查询一下命令汇编(the book of words),他们连手指头都不敢动一下。一个普通的城市青年就一个普通工作日所做的时间安排可以表明,他在醒来以后的大多数时间里都只是在装样子充当木偶而已,因为他做的那些事情实是这样一些命令事先便为他规定好了的,而对于这些命令,他不仅没有参与制定,甚难理解其意图,而且也无力判断它们是否恰当。……有关城市青年需要更多的纪律和更为严格的管束的断言,实在是下得太过匆忙了。从现在的情形来看,我们几乎可以说,城市青年正在蒙遭过分管束的痛苦。……不过,当城市青年观察自己的父母和哥哥姐姐的时候,他们会发现他们也像他们自己一样受着规章戒律的制约。城市青年会看到,他们非常适应那种状态,以至于很少去计划并主动实施任何新的社会努力或事业。因此,他们根本就无法期望这样的未来:一种强烈的责任心有可能对他们自己或其他人都有用。……(这些城市年轻人)不得不去忍受大量来自外部且在他们看来毫无意义的控制,以至于他们在没有纪律约束的情况下便会竭尽全力逃避这种状况并放纵自己以求弥补过去的损失[9]。

担忧在这些环境中长成的一代人不可能摆脱掉他们业已习惯了的那些约束和枷锁,这是否太过悲观了呢？或者说,这种描述难道还没有极为充分地证实托克维尔(Alexis de Tocqueville)有关“新奴役方式”(the new kind of servitude)的预测吗？他指出:

在这个至高无上的权力者按照这种方式把每个社会成员一个一个地置于它的强大控制之下并可以随意塑造他们以后,它便把手伸向全社会了。这个权力者用一张复杂、事无巨细、统一的规则之密网笼罩住了整个社会,即使是最具原创精神和最富有干劲的人也无力冲破这张密网而成为出人头地的人物。这个权力者并不摧毁人的意志,而是软化、驯服和操控人的意志;他很少强迫人们去行动,但却不断阻碍人们的行动。这个权力者并不摧毁任何东西,但却阻碍新生事物和新人的出现;他不实施暴政,但却压制和削弱人们的力量,使他们变得思想颓废、意志消沉和麻木不仁,直至整个民族都衰变成一群胆小而只会傻干活的牲畜,而政府则是支配它们的牧人——我始终认为,我刚才描述的这种有序的、温和的和文雅的奴役方式,可能比一般人的想象更容易被披上自由的外衣,甚至有可能在人民主权的幌子下得到牢固的确立[10]。

的确,托克维尔没有考虑到这样一个问题:当任何暴民群体可以通过无视政治生活的所有传统准则而较为容易地使自己无限期地执掌权力的时候,仁慈的专制者还能掌控这样的政府多长时间。

我也许还应当提请读者注意,我从来就没有指责过唯社会论党派是在刻意地谋求建立一种全权主义政权,甚或都不曾怀疑过传统唯社会论运动的领袖们会有这样的倾向。我在这本书中所论证的,而且英国的经验使我更加坚信不疑的事实是,唯社会论计划所导致的未曾预见但却不可避免的后果酿成了这样一种事态:只要继续实施这种政策,那么全权主义势力就肯定会占据上风。我所明确强调的是,“唯有采取大多数唯社会论者不赞同的方式,唯社会论才能得到实施”;我甚至还对此做了这样的补充:在这个方面,“传统的唯社会论党派受到了他们自己所信奉的民主理想的阻拦”,而且“他们也不具备实施他们选定的任务所必需的那种残忍”。我猜想,人们在工党政府的统治下可能会得到这样一种印象,即这样的阻拦力量在英国的唯社会论者当中要比在早于他们25年的德国唯社会论同道当中更为微弱。当然,德国的社会民主党人,即使在20世纪20年代那个同样艰难甚或更为艰难的经济条件下(这是一个可以与英国工党执政时期进行比较的时期),也从未像英国工党政府那样去实施一种近乎全权主义的计划。

由于我无法在这里对这些政策的后果做详尽的考察,所以我只想征引其他较少有成见或偏见之嫌的观察家所做的综合判断来说明这个问题。事实上,一些最为严苛的批评乃出自于此前不久还是工党成员的人士。托马斯先生(Mr. Ivor Thomas)在一本旨在明确说明他自己为什么要退出工党的书中得出了这样一个结论,即“从人所享有的基本自由这个角度来看,在唯社会论和国家唯社会论之间进行选择是无甚意义的。它们都是集体主义或全权主义国家的范例……就其本质而言,彻底的唯社会论与全权主义相差甚微”[11]。

导致最严重后果的发展态势主要表现在下述两个方面:第一,专断的行政性强制措施在数量上激增;第二,英国自由赖以为凭的弥足珍贵的基础,亦即法治(the Rule of Law),因我在这本书第六章中所讨论的那些缘故而渐渐遭到了破坏。当然,这个过程实际上在上一届工党政府上台以前就早已开始了,并且还因大战的爆发而得到了加剧。然而,工党政府在执政期间旨在推行经济计划的种种尝试却达到了这样一个地步,即人们甚至开始怀疑是否还能把英国仍然说成是一个法治国家。实际上,早在25年以前,英国高等法院院长就提出了“新专制主义”(New Despotism)的警告;就像《经济学人》(The Economist)杂志在晚近所指出的那样,这种“新专制主义”已经不再是一种纯粹的危险,而是一种业已确立的事实了[12]。当然,这种专制主义乃是由一批极为认真且诚实的行政人员予以实施的,而且他们真诚地认为,他们用这种手段予以实现的那些目的实是国家利益之所在。然而这却是一种极其专断的政府,它实际上摆脱了议会对它的有效控制;此外,它的机器也只能够被有效地用来实现现在有益的目的。不久以前,一位著名的英国法学家在对这些趋势做了仔细分析以后得出了这样一个结论——我不清楚他的这一结论是否太过夸张了:“在今天的英国,我们正生活在独裁制度的边缘。向这种独裁制度的过渡是容易且迅速的,而且可以用一种完全合法的方式加以实现。由于当今的政府所拥有的权力强大无边,而且对它也不存在任何真正的制约(比如说,一部成文宪法所做的规定或存在着一个有效的众议院),所以这使得它在这个方向上采取了许多措施,而与这些措施相比较,有待采取的那些措施也就微不足道了。"[13]

的确,我们应当对英国工党政府所实施的经济政策及其后果做一番更为详尽的分析,然而就此而言,我想我在这里所能够采取的最好办法便是向读者推荐乔克斯(John Jewkes)教授所撰写的 *Ordeal by Planning*(London:Macmillan and Co.,1948)一书。就我所知,乔克斯教授所撰写的这本书乃是从一般的角度对这种现象当中的一个具体事例所做的最为精彩的讨论。与我在这里所能够做的一些补充相比较,乔克斯教授的这本书更有助于人们对这个问题的理解,而且它所阐明的那种经验教训,其重要意义也绝不仅限于英国。

即使工党政府在英国再一次执掌政权,那么从现在的情势来看,它也不可能重新进行大规模国有化和计划的实验。但是在英国,一如在世界其他国家一般,击溃系统的唯社会论发起的进攻,只是给那些志在维护自由的人士提供了一个喘息的机会而已。当然,他们也可以借此机会对我们的抱负进行反思,并且否弃唯社会论遗产中所有那些对自由社会构成威胁的成分。如果我们对我们有关社会目标的认识不进行这样的修正,那么我们便有可能沿着这个方向继续堕落下去。就此而言,彻头彻尾的唯社会论也只是使我们堕落得更快一点而已。

【注释】

[1]在持左派观点的英国人士对这本书的批评当中,最具代表性的事例很可能是

Barbara Wootton 夫人所做的谦恭且坦直的研究：*Freedom under Planniag*，London：George Allen & Unwin，1946。在美国，Barbara Wootton 夫人所撰写的这本书常常被人们当做一本有效驳倒了我的论点的著作而加以征引，尽管我本人的感觉与此不同。因为我认为，肯定不止一个读者会产生这样一种印象——正如一位美国评论家所说的那样："从实质上讲，它似乎证实了哈耶克的命题"（Chester I. Bamard，*Southern Economic Journal*，January 1946）。

[2]我当时并不知道（正如此后一个向这三家公司当中一家出版公司提供建议的人所承认的那样），这本书之所以在当时没有出版，似乎并不是因为他们对这本书的成功有什么怀疑，而是因为政治偏见所致，以至于有人居然认为这本书"不适合一家声誉颇佳的出版社出版"（有关这个问题，请参见 William Miller quoted by W. T. Couch，"The Sainted Book Burners"，*The Freeman*，April 1955，p. 423；又见 William Miller，*The Book Industry*：*A Report of the Public Library Inquiry of the Social Science Research Council*，New York：Columbia University Press，1949，p. 12）。

[3]这丝毫都不是因为《读者文摘》（Reader's Digest）在当时发表了这本书的简写文本，不过我还是愿意在这里公开对这份杂志的编辑们在没有我的协助的情况下所表现出来的那种极富技巧的方式表达我的敬意和敬佩。当然，把一项颇为复杂的论证浓缩成短小的文字，难免会造成某种过分的简单化，但是能够做到没有歪曲原意，而且做得比我亲自动手还要好，这本身已是一项相当杰出的成就了。

[4]如果有读者想知道当代学术讨论中极可能是绝无仅有的谩骂和辱骂的范例，那么我建议他去读一下 Herman Finerncr 教授所写的 *Road to Reaction* 那本书（Boston：Little Brown & Co.，1945）。

[5]其中最为有效的无疑是 George Orwell 所撰写的《1984》那本书。他曾经在早些时候对《通往奴役之路》一书做过友善的评论，见 *The obseuer* of 9，April 1944。

[6] *Individualism and Economic Order*, Chicago, 1948.

[7] *The Counter-Revolution of Science*, Glencoe, Ⅲ, 1952.

[8]我研究这个论题的纲要,先以四篇演讲稿的形式由埃及国家银行出版:*The Political Ideal of the Rule of Law*,Cairo,1955;而此项研究的完整文稿于1960年出版,书名是 *The Constitution of Liberty*。

[9]J. Bames,*Youth Service in an England County:A Report Prepared for King George's Jubilee Trust*,London,1945.

[10]A. de Tocqueville,*Democracy in America*,Part Ⅱ,Book Ⅳ,Chap. Vi. 如果读者想知道托克维尔在预测现代福利国家所造成的心理后果上有着多么犀利的洞见,那么我建议读者把他书中的整个这一章都读一下。顺便说一句,正是托克维尔经常提到的那种"新奴役"给了我以启发,我才采用了"通往奴役之路"作为拙著的书名。

[11]*The Socialist Tragedy*,London:Latimer House,Ltd.,1949,pp. 241and 242.

[12]见 1954 年 6 月 19 日这一期上的一篇讨论:the *Report on the Public Inquiry Ordered by the Minister of Agriculture into the Disposal of Land at Circle Down* (Cmd,1976;London:H. M. Stationery Office,1954)的文章。该项文献值得所有对计划官员的心理问题感兴趣的人做最为认真的研究。

[13]C. W. Keeton,*The Passing of Parliament*,London,1952。

大卫·休谟的法律哲学和政治哲学[*][**]

用一个主宰一个时代的一套共同理念之称谓去命名这个时代,始终会隐含有某种误导性。如果我们采用这种方法去命名一个像18世纪那般混乱动荡的时代,那么我们肯定会扭曲当时历史的本来面目。用"启蒙运动"

---

* 本文译自哈耶克所著 *Studies in Philosophy, Politics and Economics*, 1967, pp. 106~121。

** 本文最早是我(哈耶克)于1963年7月18日在弗赖堡大学所做的公开演讲的文稿,首先发表于 *Il Politico*, XXVⅢ/4, 1963。本文对休谟哲学论著的征引,完全源出于格林(T. H. Green)和格罗斯(T. H. Grose)所编辑的版本,比如说《人性论》(*A Treatise of Human Nature*,两卷本), London, 1890(本文将以第Ⅰ和第Ⅱ卷的方式加以引证)以及《道德、政治和文学论文集》(*Essays, Moral, Political, and Literary*,两卷本), London, 1875(本文将以第Ⅲ和第Ⅳ卷的方式加以征引)。本文对休谟《英国史》(*History of England*)的征引,则源出于四开本的六卷本, London, 1762。

自本文初次发表以来,欧洲大陆学者所做的一系列研究休谟法律哲学的论著又引起了我的注意,其间最为重要的论著是 Georges Vlachos 所撰写的 *Essai Sur la politique de Hume*, Paris (Domat-Monchretien), 1955。其他论著则包括:G. Lavioss, *La filosofia scientifica del diritto in Lngbilterra, Parte I, Da Ba Come a Hume*, Turin, 1897, pp. 697~850; W. Wallenfels, *Die Recbrsppbilosophie Dauid Humes*, Doctoral Dissertation at the University of Gottingen, 1938; L. Bagolini, *Esperienza giuridica ed esperienza politica nel Pensiero di Dauid Hume*, Siena, 1947; and Silvana Castignoone, 'La Dottrina della o giustizia in D. Hume', *Rivista Internationale di Filosofia di Diritto*, XXXVIII, 1960 and 'Diritto natnrale e diritto positivo in David Hume',同上, XXXIX, 1962。

(enlightenment or Aufklaruny)这个称谓把两个不同脉络的学者——一方面是从伏尔泰(Voltaire)到孔多赛(Condorcet)的法国哲学家;另一方面则是从孟德维尔(Mandeville)、经由休谟(Hume)和亚当·斯密(Smith)、再到埃德蒙·伯克(Edmund Burke)的苏格兰和英格兰思想家——笼而统之地归在一起的做法,实际上就是要掩盖他们之间的差异。因为从这些学者对19世纪的影响来看,他们之间所存在的差异要比他们之间可能存在的任何表面上的相似性重要得多。特别是就大卫·休谟而言,有论者在晚近提出了一个更为确切的观点,即休谟曾"运用启蒙运动自身造就的武器去反对启蒙运动"并开一代先河,"运用理性分析的方法去削弱种种对理性的诉求"[1]。

人们在论及启蒙运动的时候,就好像它代表着一套由同质性理念组成的思想体系。这种习惯可以说在德国最为根深蒂固,当然这也是有明确的原因可考的。但是,致使人们对18世纪的思想产生这种看法的那个原因,却导致了极为严重的而且在我看来还是极为不幸的后果。这个原因就是当时的德国人在很大程度上是通过法国学者对英格兰人思想的阐述和解释而了解到英格兰人的思想的(当然,这些思想主要是由苏格兰人阐明的——但是我有一个很难改掉的习惯,亦即当我想说英国人的时候,我总是习惯于用英格兰人这个术语来指称英国人)。而我们知道,法国学者所做的那些阐述和解释往往是一些错误的解释。因此,在我看来,知识发展史和政治发展史上的大悲剧之一就是欧洲大陆几乎都是通过法国人而了解到那些伟大的政治自由思想的。然而我们知道,法国这个民族实际上在此前根本就不知道自由为何物,因而他们对那些产生于同法国有着天壤之别的思想和政治环境中的传统、制度和理念能够做出什么样的解释,我们也是可以想见的。法国人乃是本着一种建构主义的唯理智论(constructivist intellectualism)精神来解释英国人的传统、制度和理念的。在本文的讨论中，我将把这种建构主义的唯理智论简称为唯理主义（rationalism）。一如我们所知，这种唯理主义的精神乃是与一个试图设计出一种新的中央集权政府结构的专制国家的氛围完全投合的，但是却与那种最终只在英国被保留下来的较为古老的传统完全背道而驰的。

事实上，17 世纪对于英吉利海峡两岸来说，都是一个由这种建构论唯理主义所支配的时代。弗朗希斯·培根（Francis Bacon）和托马斯·霍布斯（Thomas Hobbes）同笛卡尔（Descartes）或莱布尼兹（Leibniz）一样，都是这种唯理主义的倡导者——甚至连约翰·洛克（John Locke）都无法使自己不受这种唯理主义的某种影响。这种唯理主义乃是当时产生的一种新现象，因此我们绝不能把它与那种在此前就已经存在的同样被称之为 rationalism（理性主义）的思维方式混为一谈。对于唯理主义者来说，理性不再是一种当真理凸显出来的时候认识真理的能力，而变成了一种从明确的前提出发进行演绎推理而达致真理的能力[2]。那种较为古老的传统，亦即由此前的自然法理论家所代表的那种古老传统，在英国主要是通过那些伟大的普通法法学家的著作——尤其是埃德沃德·科克爵士（Edward Coke）和马修·黑尔（Matthew Hale）的论著——而得以保存下来的。正是由于那些伟大的普通法法学家始终反对培根和霍布斯，所以他们才有可能把一种有关制度发展的进化论理解传播给后人，而在其他国家和地区，这种进化论的理解已经被一种居于支配地位的试图刻意重构各种制度的欲求所替代了。

然而，当人们试图在英国建立一个带有官僚机构的中央集权式的君主专制政体的努力失败以后，当一个被欧洲大陆人视作是弱政府的政府却在当时使英国达致了历史上国力发展最为迅猛、人民生活最为繁荣昌盛的一个时期的时候,人们对这些普遍盛行的、非设计的和逐渐发展起来的制度的兴趣促使那种较为古老的思维方式在英国又一次得到了复兴。在 18 世纪的岁月中,当欧洲大陆被建构论唯理主义所笼罩的时候,英国却逐渐形成了一种与之构成对照的有时被称作是“反唯理主义”(anti-rationalist)的传统。

“反唯理主义”传统在 18 世纪的第一位伟大代表人物乃是原籍荷兰的孟德维尔(Bernard Mandeville)。需要指出的是,我在本文中将要讨论的与大卫·休谟有关的许多思想,实际上都可以从孟德维尔的著作中找到[3]。因此,休谟在很大程度上得益于孟德维尔的思想这个事实,看来也是不争的。然而,在下文中,我将只对那些经由休谟本人详尽阐明的思想展开讨论。

我将讨论的这些思想几乎都可以在休谟 29 岁那年(即 1740 年)出版的《人性论》(*Treatise on Human Nature*)一书的第二部分中找到。尽管休谟的这部著作在当时并没有引起人们的重视,但是人们却在今天普遍承认这部著作是他所取得的一项最伟大的成就。当然,一如我们所知,休谟从 1742 年开始撰写《道德、政治和文学论文集》(*Essays,Moral,Political,and Literary*)中的论文,并且为了用一种更为简洁且更为通俗的形式重述那些观点而于 1751 年出版了《道德原则的研究》(*Enquiry concerning the Principles of Morals*)一书,后来还撰写了《英国史》(*History of England*)一书。尽管这些论著都对《人性论》的阐述方式做了某些改进而且在传播他的思想方面也比《人性论》更为有效,但是它们却没有增加什么新的内容。

当然,休谟主要是因他所提出的知识论(theory of knowledge)而闻名于世的。在德国,休谟甚至在很大程度上被认为是一位提出并陈述了伊曼纽尔·康德(Immanuel Kant)立志要解决的那些问题的作者。但是需要指出的是,对于休谟来说,首要的任务从一开始就是要建立一门有关人性的一般学问,因此,就这样一门学问而言,伦理学及政治学同知识渊源可以说是同样重要的。在伦理学和政治学领域中,就如同在认识论(epistemology)领域中一样,休谟也可能唤醒了沉睡在"教条之大觉"(dogmatic slumber)中的康德。我们可以肯定地说,康德,以及另外两位伟大的德国自由主义者即席勒(Schiller)和洪堡(Humboldt),要比后来的德国人更了解休谟。因为后来的德国人完全被法国人的思想支配了,尤其是受到了卢梭思想的影响。但是需要指出的是,欧洲大陆却从来没有确当地认识到休谟作为一名政治理论家和历史学家所做出的贡献。甚至在今天,仍有相当多的人认为18世纪是一个缺乏历史感的时代,而我们知道,这种观点实际上是那些误读18世纪的观点所共有的特征。在我看来,这种观点只能够适用于那种曾经在法国占支配地位的笛卡尔唯理主义,但是对于英国人来说却是极不正确的,而对休谟来说就更是无稽之谈了。因为休谟不仅把他的时代描述成"一个具有历史感的时代,而且还把他的民族描述成了一个具有历史感的民族"[4]。

然而,并不只是欧洲大陆忽视了作为法律哲学家和政治哲学家的休谟。甚至在今天最终认识到休谟不仅是现代知识论的创始人而且也是现代经济学理论的奠基者之一的英国,休谟的政治哲学以及他的法律哲学也都遭到了莫名其妙的忽视。在汗牛充栋的法理学著作中,我们根本就找不到他的名字。众所周知,在英国,系统的法律哲学始于杰理米·边沁(Jeremy Bentham)和约翰·奥斯汀(John Austin)的努力。但是他们两人所承继的却在很大程度上是欧洲大陆的唯理主义传统:边沁所继承的是爱尔维修(Helvetius)和贝卡里亚(Beccaria)的思想,而奥斯汀则得益于德国人的思想。实际上,早在边沁之前,英国便养育出了一位曾经出于偶然的原因而受过律师训练的最伟大的法律哲学家,他就是休谟,但是颇为遗憾的是,这样一位伟大的法律哲学家却没有能够对法律哲学的发展产生实际的影响[5]。

更值得我们注意的是,从当时的情况来看,很可能只有休谟对此后以自由主义之名著称的那种法律哲学和政治哲学做出了全面的阐述。今天,人们已经相当普遍地认识到,19 世纪的自由主义思潮乃是由两个独特且在某些方面甚至是彼此冲突的组成部分构成的:一个是自由主义思潮本身,另一个则是民主传统。在这两个组成部分当中,只有民主传统这个部分基本上是源出于法国的,而且也只是在法国大革命的过程中才被附加在了那种源出于英国的较为古老的以个人为本的自由主义之上。这两种理想在 19 世纪期间所保有的那种相当勉强的合作关系,决不应当使我们忽视它们各自所具有的不同的特征和不同的起源。人身自由这种自由主义理想首先是在英国提出来的,因而在整个 18 世纪期间,英国一直是人们所梦想的自由乐土,而且它的政治制度和政治原则也是其他国家和地区的理论家所公认的典范。这些政治原则实际上就是辉格党(the Whig party)的原则,亦即 1688 年光荣革命的原则。需要指出的是,是休谟为这次革命的正当性提供了理论上的证明,而不像人们通常所认为的那样,是洛克为这次革命的正当性提供了证明。因为我们可以发现,正是休谟为这次革命所主张的原则做出了最为充分详尽的阐述*。

的确,大多数人都没有认识到这个问题,其部分原因在于他们错误地认

* 关于休谟与洛克两位思想家的重要性的比较,我想请读者注意哈耶克在陈述时的一些变化:在 1960 年出版的《自由秩序原理》一书第十一章“法治的渊源”中只论及了洛克的贡献,而未提及休谟。根据我个人的理解,这种细微的变化很可能是哈耶克日益意识到了洛克理论中所存在的欧陆唯理主义的影响所导致的,而且还与哈耶克日后更加强调休谟所创建的“前唯理主义的自然法传统”以及日后更加明确主张“文化进化观”有着紧密的关系。在 1960 年出版的《自由秩序原理》(接下页注)

为休谟本人是托利党人而不是辉格党人。休谟之所以得到这样一种名声，实是因为作为一个非常公正的人，他在其所著的《英国史》一书中为托利党的领导者们进行了辩护，而且还驳斥了人们对他们提出的许多不公正的谴责。除此之外，还有另外一个原因，即休谟指责了辉格党人在宗教信仰方面表现出来的对托利党人普遍信奉的天主教的不宽容，而辉格党人的这种做法也是与他们自己信奉的原则相悖的。实际上，休谟本人非常恰当地解释了自己的立场，比如说他在谈到自己所著的《英国史》一书的时候这样指出："我对'事物'的看法更符合辉格党人的原则，而我对'人'的看法则更多的是根据托利党人的既有观点。"[6]就此而言，像托马斯·卡莱尔(Thomas Carlyle)这样一个坚决反对变革的人士都把休谟描述成了"所有成功的辉格党人之父"[7]。因此我们可以说，他对休谟立场的认识要比19世纪和20世纪大多数民主自由主义者对休谟立场的看法正确得多。

一如上述，人们一般都没有理解或者忽视了休谟作为一名杰出的自由主义政治哲学家和法律哲学家的重要性。当然这个方面也存在着一些例外。

(接上页注)哈耶克指出："这些观念乃是以其在1688年斯图亚特最终被驱逐出王位以后所获得的那种简略且综合的形式，继续发挥它们的影响力的。虽说当年有一些论著与约翰·洛克《政府论》(下编)(*Second Treatise on Civil Government*)一书具有同样的影响力，甚至比它更具影响力，但是洛克的大作却是其间影响力最为久远者，因此我们必须对其详加讨论。洛克的著作长期以来一直被认为主要是对光荣革命所做的综合性的哲学论证，他的原创性贡献主要在于他对政府之哲学基础所做的广泛思考。人们对于这些思考所具有的价值，可能是仁者见仁，智者见智。但是洛克著作至少在当时极为重要的一面，亦同时是我们在当下所关注的一面，乃是他对当时处于支配地位的政治学说及实践原则所做的清理爬梳和集大成的工作；对此人们都赞同，他所整理的学说及原则，应当被认为是此后控制政府各项权力的基本原则。"(上引书，邓正来译，三联书店1997年版，第213~214页)——邓正来按

比如说,弗里德里克·曼纳克(Friedrich Meinecke)就在他所著的*Entstebung des Historismus*一书中明确地指出了"英国历史从人治到法治的转变对于休谟所具有的意义。当然,这一进程极其艰辛,甚至令人感到憎厌,但结果却是有益的。向世人昭示这一进程中的每一个阶段及其间的全部复杂性,曾是或逐渐成了休谟的主要工作。于是,一个政治上的根本问题(主要问题)成了休谟工作的主题。只是自休谟以降,人们才开始就其整体形态和具体资料渐渐理解这一直到那时一直被忽视的论题"[8]。

其实,曼纳克完全可以从休谟的哲学著作中探寻到这种历史解释的思想基础,但是这并不是曼纳克所要做的工作。如果他这样做的话,那么他就一定可以在那些著作中发现指导休谟写作《英国史》一书的理论基础。有一种观点也许是正确的,即休谟更多的是通过他的史学著作而不是通过他的哲学作品来传播自由主义理想的。事实上,休谟的《英国史》一书对辉格自由主义在欧洲的传播起到了很大的作用。据此我们可以说,休谟《英国史》一书在18世纪的作用很可能可以与麦考利(Macaulay)所撰写的《英国史》一书在19世纪起到的作用相媲美。但是,这种情形并不能改变这样一个事实:如果我们想了解休谟对这个理想所做的明确而合乎逻辑的阐述,那么我们就必须求助于休谟的哲学著作,亦即《人性论》以及文字更为优美且更通俗易懂的《道德、政治和文学论文集》和《道德原则的研究》。

休谟在他的哲学论著中阐发他的政治思想和法律思想,绝非偶然。因为我们知道,休谟的政治思想和法律思想乃是与他所持有的一般性哲学观念,尤其是与他所主张的有关"人之理智范围有限"(narrow bounds of human understanding)的怀疑论观点紧密勾连在一起的。休谟所关注的乃是一般意义上的人性,而且他的知识论也主要是为了理解作为一个道德存在和一个社会成员的人的行为而建构的一个理论基础。休谟达致的成就,最重要的就是他提出的有关人类制度生成发展的理论,而正是这个理论后来构成了他赞同自由的理据,而且还成了亚当·福格森(Adam Perguson)、亚当·斯密(Adam Smith)和斯图沃特(Dugald Stewart)这些伟大的苏格兰道德哲学家进行研究的基础*。今天,这些伟大的苏格兰道德哲学家已经被公认为是现代进化人类学(evolutionary anthropology)的主要创始者。此外,休谟的思想还为美国宪法的创制者提供了坚实的基础[9],当然也在某种程度上为埃德蒙·伯克(Edmund Burke)的政治哲学奠定了基础——实际上,伯克的政治哲学要比人们所公认的更接近于休谟的思想,也更直接源出于休谟的思想[10]。

休谟哲学的出发点是他所提出的反唯理主义的道德理论(anti-rational theory of morals)。该理论认为,就道德规则的产生而言,"理性本身是毫无

---

* 值得我们注意的是,哈耶克在这里所说的休谟的最重要的成就,即"有关人类制度生成发展的理论",实际上也是哈耶克本人在休谟等人的影响下所主张的那种"文化进化观"。正如哈耶克所承认的那样,"在流逝的那段漫长的岁月里,我的思想又有了进一步的发展,因此,在没有能够对我的思想的发展脉络做出基本交代的情况下,我仍有些不愿意把它拿出来发表,因为这部著作毕竟是我的最后一部系统性的著作了。出于这个考虑,我……认为有必要加写一个跋文,以期用一种较为直接的方式阐明那个在我的整个事业中始终指导着我的道德进化观和政治进化观"(参见哈耶克《法律、立法与自由》第三卷"序言",邓正来等译,中国大百科全书出版社 2000 年版,第 261 ~ 262 页)。此外,哈耶克还指出:"但是,在我看来,当下更为迫切的问题依旧是如何使道德哲学家、政治科学家和经济学家也来切实地关注文化进化这个观念的重要性。这是因为长期以来,这些论者一直没有认识到这样一个重要的事实,即当下的社会秩序在很大程度上并不是经由设计而建构出来的,而是通过那些在竞争过程中胜出的更为有效的制度的普遍盛行而逐渐形成的。文化既不是自然的也不是人为的,既不是通过遗传继承下来的,也不是经由理性设计出来的。文化乃是一种由习得的行为规则(learnt rules of conduct)构成的传统,因此,这些规则绝不是'发明出来的',而且它们的作用也往往是那些作为行动者的个人所不理解的。"(上引书,第 499 ~ 500 页)——邓正来按

作用的”,因此,“道德的规则并不是我们的理性所能得出的结论”[11]。休谟对此论证说,我们的道德信念既不是先天意义上的自然之物,也不是人之理性的一种刻意发明,而是一种特殊意义上的“人为制品”(artifact)。休谟在这个意义上所说的“人为制品”,也就是我们所称之为的“文化进化的一种产物”(a product of cultural evolution)。在这种文化进化的过程中,那些被证明有助益于人们做出更有效努力的规则存续了下来,而那些被证明只有助于人们做出较为低效努力的规则则被其他的规则取代或淘汰了。正如晚近的一位论者颇为犀利指出的那样,“道德准则和正义准则,便是休谟所谓的‘人为制品’(artifacts);它们既不是神授的,也不是人之本性所不可分割的一个部分,更不是纯粹理性所能揭示的。它们乃是人类实践经验的结果,而且在漫长的时间检验过程中,唯一的考量就是每一项道德规则是否能够为增进人类福祉起到有益的功用。在伦理学领域中,休谟可以被认为是达尔文的先驱。实际上,休谟所宣布的乃是一种有关人类习惯的适者生存的理论(a doctrine of the survival of the fittest among human conventions)——当然,‘适者’在这里并不是指那种野蛮的弱肉强食者,而是意指具有最大的社会效用者”[12]。

然而,正是通过对那些决定着主要的法律制度之进化发展的情势所做的分析,休谟对法理学做出了最大的贡献。因为在这项分析中,休谟对为什么只有在某些类型的法律制度得到发展的情况下才有可能发展出一种复杂文明的问题给出了说明。当然,这些贡献还只是休谟对法理学做出的一部分贡献。值得我们注意的是,在讨论这些问题的时候,休谟的经济理论与他的法律理论和政治理论是紧密联系在一起的。事实上,只有为数不多的社会理论家明确意识到了人们所遵循的规则与那种因人们遵循规则而形成的秩序这二者之间的关系,而休谟便是这些为数不多的社会理论家当中的一员。

需要指出的是,在从解释到理想的转换过程中,休谟并没有使自己陷入任何有关解释与推荐之间的逻辑混乱之中。与其他论者相比,休谟可以说最反对从“实然”(theis)到“应然”(the ought)的逻辑转换,而且也最明确地认识到了从“实然”到“应然”进行逻辑转换的不可能性[13](亦即这样一个事实:在一个不主动的原则的基础上是绝对不可能建立起一项主动原则的)[14]。休谟据此想指出的乃是这样一个问题,即现代社会所具有的一些为我们所珍视的特征乃是以一些条件为依凭的。尽管这些条件并不是为了达致这些结果而专门创建的,但却是这些**特征**所不可或缺的一些前设。这些条件乃是“一些对公众有助益的制度,虽说这……并不是这些制度的发明者为了达到这个目的的本意”[15]。休谟的意思实际上是说,只有当人们学会遵循某些行为规则的时候,一个有序的社会才可能得到发展。

休谟在《人性论》有关“论正义与财产权的起源”的那个章节中,对“人之技能确立正义规则所依凭的方式”的问题进行了探讨[16]。我们可以说,休谟有关这个问题的洞见乃是他在这个领域中做出的最为重要的贡献。《人性论》这一章节的讨论始于这样一个事实,即正是社会生活赋予了人类这种柔弱的动物以特殊的能力。休谟简要地讨论了“职业分工”(partition of employments)[17]所具有的益处(亦即亚当·斯密经由采用孟德维尔“劳动分工”这个术语而使之广为人知的那种观点),同时还指出了种种阻碍社会团结的障碍是如何被人们一点一点加以克服的。在这些障碍当中,主要的障碍首先是每个个人首要关注的乃是他自己的需要或与他最亲近的人的需要,其次就是资源的稀缺(休谟的术语!),亦即“并不存在充足的资源可供人们去满足每个人的欲求和需要”[18]。因此,正是“人之心智的某些**特征**与外部物体之**情势**的结合”[19],构成了人们进行顺利合作的障碍。“人之心智的这些特征就是自私和**有限的慷慨**:至于外部物体的情势,就是它们**容易发生变化或转移**,以及它们与人们对它们的需求和欲求相比要稀缺得多。"[20]如果不考虑这些事实,那么任何法律也就毫无必要了,甚或也不会成为人们需要思考的问题:"如果人们能够获得同样充足的资源供应,或者说如果每个人都爱人如爱己,那么正义和不正义也就不可能为人们所知道了。"[21]"当每个人都获得了超过其所需的物品的时候,分配物品又有什么意义呢? ……在别人拿走了我的一样东西而我只需要伸手便能够获得一样与它具有相同价值的东西的情况下,把这样东西称之为我的东西又有什么意义呢? 在这种情形中,正义毫无作用可言,充其量只是一种闲置的礼仪而已。"[22]因此,"正义起源于下述两个事实:一是人的自私和有限的慷慨:二是大自然在资源方面只能够有限地满足人们的需要"[23]。

因此,正是各种情势的性质,亦即休谟所谓的"人类社会的必然性",导致了"三项基本的自然法"[24]的产生:即"财物占有的稳定、根据同意的转让、允诺的践履"[25];而整个法律系统只不过是对这三项基本自然法的详尽阐释而已。需要指出的是,人们并不是为了解决他们所遇到的某个问题而刻意发明了这些规则(尽管改进和修正这些规则后来成了立法者的任务)。此外,休谟还不遗余力地对自私是如何促使人们越来越遵守并最终强制实施这些基本的自然法规则的问题进行了讨论。比如说,休谟指出:"有关财物占有的稳定规则,乃是逐渐形成的,而且也是通过缓慢的进程、通过我们一次又一次地经验到违背这项规则给我们带来的不方便,才获得强制力的。"[26]与此同理,"如果人们只是出于对某种特定**利益**的考虑而去调整他们的行为(就践履允诺而言),那么显见不争的是,他们便会使自己陷入无休无止的混乱之中"[27]。休谟还指出,与正义规则形成的方式相似,"各种语言也是不经任何许诺而由人们的约定或习俗逐渐形成的。同样,金银也是通过这种方式而成为人们公认的价值尺度和交换工具的"[28]。就像语言和货币一样,法律和道德规则,在我们看来,也不是刻意发明的产物,而是逐渐形成的制度或"形成物"(formations)。的确,休谟对那种业已被证明的效用(proven utility)的强调,很容易使读者误以为人们乃是因为预见到了这些制度所具有的效用而采纳这些制度的。为了防止人们得出这种印象,休谟强调指出,在他所有论及"效用"的场合,他都"只是假设那些考虑是一下子形成的,而事实上,它们却是在人们不知不觉的过程中逐渐形成的"[29]。

在人们赞同或根据允诺及契约而使自己服从某种政府体制之前,这类规则肯定已经得到了人们的承认。因此,"尽管人们有可能维持一个没有政府的小型的不开化的社会,但是如果没有正义,如果不遵循有关'财物占有的稳定,根据同意转让财物'以及'允诺的践履'这三项基本的法则,他们就不可能维持任何一种社会。因此,这三项基本的法则乃是**先于政府**而存在的;进而,**在政府初建立的时候**,人们也就会自然而然地认为它是从那些自然法当中",尤其是从那项有关允诺践履的自然法当中"衍生出其职责的"[30]。

休谟进一步的关注点乃在于着重阐明这样两个问题:第一,只有普遍适用一套相同的"一般且不变的正义规则"(general and inflexible rules of justice),才能够确使一种一般性的秩序得以建立;第二,如果人们想建立这种一般性的秩序,那么他们就只能用这种秩序而不得以任何特定的目的或结果去指导这些一般且不变的正义规则的适用。就此而言,对个人的特定目的或共同体的特定目的所给予的任何关注或者对特定个人利益所做的任何考虑,都会阻碍上述建立一般性秩序那个目的的实现。这个观点乃是与休谟所持有的另外一个信念紧密联系在一起的,即人是短视的,他们倾向于当下的好处而非久远的利益，而且也无力用一种对真正的长远利益的正确认识去指导自己的行动，除非他们用那些在特定情形中适用的时候不考虑具体后果的一般且不变的规则去约束自己。

休谟最早是在《人性论》一书中提出上述观点的（因此，到目前为止，我在上文所阐释的大多数观点也主要征引自休谟的这部著作）。需要指出的是，这些观点在休谟后来的论著中占据了更重要的地位，而且也与休谟的政治思想有了更为紧密的联系。有关这些观点的最为简明的阐述，可以见之于《道德原则的研究》一书的附录三[31]。在这里，我向所有希望了解休谟法律哲学的人建议，先阅读《道德、政治和文学论文集》一书中的6页文字（亦即该书标准版第二卷第272页至278页），然后再回过头来阅读休谟在《人性论》一书中对这些观点所做的更为详尽的阐述。但是，在下文的讨论中，我仍将主要征引休谟在《人性论》一书中的文字，因为在这部著作中，休谟对这些观点所做的个别阐述往往更具有新意，尽管从整体上看，这部书的阐述有时候显得颇为冗长并有些乏味。

如果没有业已确立的规则可供人们遵循，那么人之心智的弱点［休谟倾向于把它称之为“人之理智范围有限”，而我则倾向于把它称之为“人之不可避免的无知”（human inevitable ignorance）］就会导致这样一种结果，即人们“在大多数场合中将会根据个人的特定判断来采取行动，而且同时也会去考虑各人的品格和条件以及他们所面临的问题的一般性质。但是人们很容易发现，如果不为某些一般且不变的原则所约束，那么人们的这种做法就会在人类社会中产生无穷无尽的混乱，而且人的贪心和偏私也会立刻使世界陷入无序状态之中”[32]。

然而，法律规则“并非源出于特定的个人或公众因拥有任何**特定的**财物而获得的那种效用或利益。……判决中的正义从不会考虑财物对特定的个人是否适合的问题，而只会根据较为一般的观点行事”[33]。特别需要指出的是，“在分配人类财产的时候，适合性或适应性永远不应当被纳入考虑的范围之内”[34]。单独的一项法规“往往会与**公益**相抵触；而且如果它孤立地存在，而不伴有其他相关法规的话，那么它本身就可能对社会构成危害。……单独的法规，仅就其本身来考虑，对私利也并不比对公益更有助益……但是，不论单独的法规在多大程度上会与公益或私利相抵触，然而毋庸置疑的是，整个法律计划或方案则会大大有助益于社会的维系和每个个人的福利，或者说对于这两者是绝对必需的”[35]。或者，正如休谟在《道德原则的研究》一书的附录中所指出的那样，“那种（从正义和忠诚这样的社会美德中）所产生的有益结果，并非源出于每一项单独的法规，而是源出于整个法律方案或法律系统，或者源出于所有社会成员或绝大多数社会成员所同意的整个法律方案或法律系统。……就此而言，在许多情形中，个别法案所导致的结果会与整个行动系统的结果相抵触；尽管个别法案所导致的结果有可能是极端有害的，然而整个行动系统的结果却是最具助益的。……整个行动系统之所以能够带来益处，完全是因为人们遵循一般性规则所致。此外，如果因个人性格或所处环境的问题而导致的麻烦和不便都能够据此得到补偿，那么整个行动系统便是完整而充足的”[36]。

休谟清楚地认识到，如果人们用个人的品行而非那些一般且不变的法律规则去支配正义和政府治理，那么这种做法就会与该系统的整个精神背道而驰；如果人们实施这样的法律……亦即“那种把最多的财富赋予具有最公认美德之人士并且赋予每个人根据自己的喜好去行事的权利的法律……那么无论是从品行所具有的含混性质的角度来看，还是从每个个人所具有的自命不凡的倾向来看,品行都是极为不确定的。这种不确定性太大了,因此我们可以说,任何明确的行为规则都不是从这种品行中产生的。如果人们用这种品行来支配行为规则,那么毋庸置疑,整个社会很快就会瓦解掉"[37]。当然,社会之所以会崩溃,实是因为这样一个事实所致,即法律只能够调整那些"并不具备品行的外在行为;而如果我们想发现那种道德的性质,那么我们就必须对内心进行观察"[38]。换言之,由于不影响品行的情势是不存在的,而行为规则总是要从中挑选出一些情势作为唯一相关的因素,所以奖赏品行的规则是不可能存在的,或者说分配正义的规则是不可能存在的。

颇为遗憾的是,我不可能在这里进一步探究休谟在何种程度上阐明了一般且抽象的正义规则与个人行动及公众行动所具有的特定且具体的目的之间的界分。我只是希望上文所述能够充分地说明这种界分在休谟的整个法律哲学当中占据着极为中心的位置,同时也能够充分地说明当下盛行的一种观点是大有疑问的——我近来发现,弗赖堡大学一位博士撰写的博士论文就极为扼要地表达了这种流行观点,即"普遍规则这一概念的近代历史始于康德"。当然,除此之外,这篇论文还是很精彩的[39]。实际上,康德对这个问题的认识直接源出于休谟的思想。当我们把眼光从休谟论著中较为理论的部分转向较具实践意义的部分的时候,尤其当我们把眼光转向他关于法治而非人治[40]的观点以及他关于"据法自由"(freedom under the law)的基本理念的时候,这一点也就变得更为凸显了。在对这些观点的讨论中,休谟最为详尽地阐释了辉格党的原则或自由主义的原则。然而,正是通过康德以及晚些时候讨论"法治国"(Rechtsstaat)的理论家们所撰写的论著,欧洲大陆才熟知了休谟在这方面的观点。有的论者指出,康德经由把他所主张的道德上的"绝对命令"观念(categorical imperative)适用于政府治理事务方面而提出了他的“法治国”理论[41]。但是,事实却很可能与此相反,亦即康德很可能是通过把休谟业已阐发的法治观念适用于伦理学领域而提出了他的“绝对命令”理论。

囿于种种原因,我无法在这里像讨论休谟法律哲学那样详尽地阐释休谟的政治哲学。休谟的政治哲学极其丰富,但是也要比他的法律哲学更加为人熟知一些。众所周知,休谟有关政府受意见(opinion)指导的方式的讨论、有关意见与利益的关系的讨论以及有关意见之形成方式的讨论,都是极具特色的和极为重要的。但是在本文中,我却不想对他的这些思想进行探讨,而只想对某些直接以他的法律理论,尤其是以他对法律与自由的关系的认识为基础的政治理论观点做一番讨论。

休谟在《论政府的起源》(*On the Origin of Government*)一文中对这些问题做了最后的阐述,并在1770年把这篇论文也收入了他的《道德、政治和文学论文集》之中。在这篇论文中,休谟对“那种以共同的名义接受了自由政府之名称的政府做了如下的定义,即它是一种允许在几个成员群体当中进行权力分配的政府。这种政府联合形成的权威绝不亚于君主制政府的权威,或者:在通常意义上要比君主制政府的权威高得多。但是这种政府在日常的治理过程中却必须根据一般且平等的法律行事,当然这些法律必须在此之前就已经为这些成员群体以及它们治理的所有臣民所知晓。在这个意义上讲,我们必须承认,自由就是市民社会的完善”[42]。实际上,休谟早在此前就已经在他所著的《道德、政治和文学论文集》当中对这个问题进行了讨论。他指出,在这样一种政府中,人们必须“对行政官员予以密切的监督,必须根除所有的自由裁量权,而且还必须根据一般且不变的法律来保障每个人的生命和财产。除了法律明确规定的那些罪行以外,任何其他行为都不得被视作是罪行……”[43]此外,尽管“所有的一般性法律在被适用于特定案件的时候都会遇到某些不便,但是,要认识到下述两个问题却需要有极为敏锐的洞察力和极为丰富的经验:一是认识到这些不便要比那些因每个行政官员掌握完全的自由裁量权而带来的不便少得多;二是认识到这些一般性法律所带来的不便从整体上来讲乃是最少的。这是一件极为困难的事情,以至于人们在制定国内法方面取得任何伟大成就以前就已经在诗歌和修辞这些伟大的艺术领域中获得了某些进步。因为我们知道,在诗歌和修辞艺术方面,才思敏捷和想象力能够为人们取得进步提供极大的帮助;但是在立法方面,唯有进行不断的审判和不懈的观察,才能够为人们改进这些法律提供指导”[44]。当休谟在《英国史》一书中论及1688年革命的时候,休谟骄傲地告诉人们,“当时世界上还没有出现过这样的政府,而且历史上也可能从来没有存在过这样的政府,亦即那种由某个行政官进行治理但却并不享有某种专断权力的政府。以前,人们完全有理由提出这样的疑问,即人类社会是否可能达到这样一种完美的境况:除了一般且不变的法律原则和公平原则以外,人类社会无须任何其他的控制手段便能够做到自我维续。但是议会却确当地认为,国王乃是一个地位极高的行政官,所以人们不能把自由裁量权赋予他,因为这种权力很容易被他用来破坏自由。最终人们发现,尽管严格遵循法律这项原则会带来一些不便,但是遵循法律这项原则所带来的益处却要远远多于这些不便,而仅此一点便已经足以使英国人永远感谢他们的祖先了。因为一如我们所知,英国人的祖先们乃是在经过反复的争论以后才最终确立了严格遵循法律这项伟大的原则的”[45]。

众所周知,休谟对下述两类规则做出了明确的界分:一是“所有调整财产权的自然法以及所有具有一般性质的私法(这些法律所关注的只是受理案件所具有的某种基本性质的情势,而不会考虑该案件所关涉到的当事人的品格、地位以及其他的关系,也不会考虑这些法律被适用于特定案件时可能产生的特定后果)"[46];二是那些决定权力机构之组织形式的规则[47]。此外,一如我们在那些被保存下来的休谟亲自对自己已出版的著作所做的修正稿中可以见到的那样,休谟还把"社会的法律"(laws of society)修改成了"正义的规则"(rules of justice)[48](当然,为了清楚地表达他的意思,这种修正也是极为可取的)。尽管我特别想阐明休谟是如何努力达致上述明确界分的,尽管我也特别想详尽地阐明休谟是如何仔细地用"正义的规则"来替代"社会的法律"的,但是就这两个问题而言,我却不想再通过征引休谟更多的文字来考磨读者的耐心了。因此,在本文的结论部分,我更想回过头去讨论我在前文已经提到过的另外一个要点,亦即休谟对法律和其他制度的兴起所做的"进化论式"的阐释所具有的普遍意义。

我在前文中指出,休谟的理论乃是一种有关秩序生成和发展的理论。他的这个理论为他主张自由的论辩奠定了基础,但是他的这个理论的作用却并不止于此。虽然休谟的首要目的在于对社会制度的进化给出说明,但是他似乎也明确意识到了这个论辩还可以被用来解释生物有机体的进化过程。在他身后出版的《自然宗教对话录》(*Dialogues on Natural Religion*)一书中,他曾比较明确地指出过这一点。他在该书中指出:"在时间无休无止地进行过程之中,发生过许多重大的变革,而万事万物则会受到这些变革的影响。由于万事万物的每个部分都受到了这些持续不断的变化的影响,所以这些变化似乎预示着某种普遍的转化。"[49]"动物或植物的各个部分所呈现出来的表面设计以及这些部分之间所展开的令人感到奇异的彼此调适",在休谟看来,并不需要一个设计者,因为他"很乐意知道,如果一种动物的各个部分不是依此方式彼此调适的话,那么这种动物是如何可能生存下来的呢?难道我们没有发现只要这种彼此调适的活动一停止,这种动物就死亡了吗?难道我们没有发现它的物质体腐烂以后,又会尝试以某种新的形式存在吗"[50]?再者,"除非一种形式拥有其生存所必需的那些能力和器官,否则它就不可能生存下去:只有在人们不间断地尝试某种新的秩序或新的经济形式以后,才会最终产生某种能够自助并维续自身的秩序"[51]。休谟还坚持认为,人类并不能够"宣称自己已经从所有活着的动物当中所展开的影响人类进化的……永久的战争……中获得了一种豁免"[52]。此后,达尔文也对这种"为了生存而展开的斗争"进行了描述,不过他的努力要比休谟晚了一百多年*。值得我们注意的是,这些思想从休谟传到达尔文那里经历了一

---

* 哈耶克在这里所强调的乃是这样一个事实,即文化进化的观念(the idea of cultural evolution)要比生物进化的观念(the biological concept of evolution)有着更为悠久的历史。一如他所指出的:"我们甚至可以说,查尔斯·达尔文(Charles Darwin)适用于生物学的进化观念,也极可能是他经由他的祖父伊拉斯谟斯(Erasmus)而习得的由伯纳德·孟德维尔(Bernard Mandeville)和大卫·休谟(David Hume)所主张的文化进化观念,如果说不是他更为直接地从与他同时代的历史法律学派和历史语言学派那里习得的文化进化观念。然而颇令人惊诧的是,在达尔文以后,那些'社会达尔文主义者'居然需要到达尔文那里去学习那种属于他们本学科较早传统的东西。因此在我看来,他们的这种做法实际上是把问题搞糟了,而这种糟糕的状况则在他们的研究中得到了表现:第一,他们只关注那种在先天性方面更优的个体的优胜劣汰问题,然而我们知道,这种选择淘汰过程极为缓慢,因而对于文化进化来说意义甚微;第二,他们完全忽略了规则和惯例之优胜劣汰进化过程这个具有决定性重要意义的问题。但是需要强调指出的是,有些生物学家把进化视作是一个纯粹的遗传过程的观点,则是毫无道理可言的,因为他们完全忘记了与这种遗传进化过程相似但却更为迅速的文化进化过程。实际上,正是这种文化进化过程在今天支配着人类的生活,而且还通过向我们提出我们尚未学会解决的难题的方式对我们的智力提出了挑战。"(参见哈耶克《法律、立法与自由》全三卷"跋文",邓正来等译,中国大百科全书出版社 2000 年版,第 497 ~498 页)——邓正来按

个连续不断的过程,而且也是有案可详考的[53]。

最后,我将通过简要地考察休谟思想在过去两百年中的命运来结束本文对休谟思想的讨论。我将把关注的焦点放在1766年,因为这一年正好是老皮特(Pitt)最后一次为辉格党的原则进行辩护以支持北美殖民地人民提出的要求的那一年,而且在此之后的第二年,英国国会便在它的声明中宣称了它对北美殖民地拥有无限的权力,而我们知道,这种做法不仅突然终结了政治原则得到发展的最为辉煌的时期,而且还最终导致英国与北美殖民地发生了战争。1766年,大卫·休谟基本上完成了他的思想体系的建构工作,并且在55岁的时候成了他那个时代最为著名的人物之一;也正是在这一年,休谟完全出于善意而将一位同样著名的人物从法国带到了英国,这位人物便是让雅克·卢梭(Jean-Jacques Rousseau)。卢梭只比休谟小几个月但却生活在悲惨的生活之中,而且一如他所认为的那样,总是在受着别人的迫害。大卫·休谟乃是一位平静且温和的哲学家,在法国以"好人大卫"(le bon David)之名而为众人所知;而卢梭则是一位情绪不稳定、不可理喻且半疯狂的理想主义者,并且在私人生活中蔑视所有的道德规范。这两位人物的相遇实是人类思想发展史上最具戏剧性的事件之一。当然,他们的相处只能以一种剧烈的争吵或冲突而告结束*;而对于今天了解整个事件的人来

* 哈耶克在这里所讲的乃是学术界中一桩著名的公案。1763年10月,休谟作为公使秘书出访法国,并于1766年1月离开巴黎回国。在此之前,法国学者卢梭因在1762年出版《爱弥尔》这本书而触怒了当时的统治者和天主教会,并且遭到了疯狂的迫害。卢梭为逃避迫害,颠沛奔波于巴黎、日内瓦等地,但是仍找不到一个安全的栖所。就在这个时候,休谟向卢梭伸出了援救之手,邀请他去英国暂避一时。到了英国以后没有多久,卢梭的受迫害妄想症又复发了,他无端地猜疑休谟同法国的哲学家合伙迫害他,说休谟带他到英国去乃是为了侮辱他。休谟对此(接下页注)

说,他们两位当中谁是更伟大的知识分子和更有道德的人物这一点则是不可能有任何疑问的。

从某种角度来看,休谟和卢梭都致力于反对在他们那个时代居于支配地位的 rationalism。但是值得我们注意的是,用我在前文所征引的话来说,休谟乃是试图"运用理性分析的方法去削弱种种对理性的诉求",而卢梭只是用他无法控制的情绪去反对理性主义。在当时了解这两位人物相遇事件的人当中,又有谁会相信是卢梭的思想而不是休谟的思想会主宰此后 200 年中的政治发展呢?然而,这就是事实。在此后的岁月中,正是卢梭式的民主理念,以及他提出的"社会契约"(social contract)和"人民主权"(popular sovereignty)这两个彻头彻尾的唯理主义观念,遮蔽了"据法自由"和"法律限制政府"的理想。是卢梭而不是休谟激起了人们不断进行革命的狂热,而这些持续不断的革命不仅在欧洲大陆创建出了现代型的政府,而且还致使古老的自由主义理想逐渐失去了号召力,更是在全世界的范围内指导人们一步一步地迈上了全权主义民主(totalitarian democracy)的道路。现在,我们需要追问的是,这一发展进程是如何产生的呢?

我认为,这里有一个很重要的原因,而这个原因就是人们常常谴责休谟的哲学在本质上是一种否定性的(negative)哲学。当然,就休谟的哲学而言,这种说法实际上是比较确当的。众所周知,休谟乃是一位伟大的怀疑论者,他深信所有人的理性和知识都是不完全的,因而并不指望政治组织会给

(接上页注)非常苦恼,几次给卢梭写信进行解释,但无济于事。1767 年 5 月,卢梭不辞而别,返回法国。休谟和卢梭发生争吵的消息很快在伦敦和巴黎传播开来,休谟不得不写了一篇简单的记事,即后来以"关于休谟先生和卢梭先生的争吵的简要而真实的说明"为题发表的简短记事,以说明事情的真相。——邓正来按

人们带来多少肯定性的(positive)益处。休谟知道,最伟大的政治之善(political goods),亦即和平、自由和正义,就其本质而言都是否定性的:它们是一种防止伤害的保护措施,而不是什么肯定性的赐物。人类为了实现和平、自由和正义这三项目标投入了最大的热情。但是,休谟也清楚地认识到了这样一个问题,即除此之外试图在人类社会中实现某种其他肯定性正义(positive justice)的抱负却会对和平、自由和正义这些价值构成威胁。正如休谟在《道德原则的研究》一书中所阐释的那样,“狂热者也许会指出,**支配乃是建立在恩典基础之上的,因此唯有享有恩典之人才能够支配一切**。但是,世俗的行政官员却非常明确地把这些极端的理论家与日常生活中的强盗等同看待,并且用同样严苛的纪律来教训他们。从思辨的角度来看,这种纪律似乎是一种最有益于社会的规则,但是人们在实践中却有可能发现这种纪律是非常有害的和极具破坏性的”[54]。休谟认为,和平、自由和正义并不是由人的善行或美德带来的,而是源出于那些“使人们(甚至是坏人)把为公益服务的事情变成了他们自己的利益之所在”的制度[55]。休谟知道,在政治学中,**“每个人都必须被假定成一个恶棍”**,尽管,一如他所补充指出的那样,“这似乎有点奇怪:一项事实上是错误的原则,却在政治学当中应当是一项为真的原则”[56]。

休谟从来没有认为政府不应当承担一些肯定性的任务。就像后来的亚当·斯密一样,休谟知道,正是由于人们赋予了政府以某些自由裁量权,“桥梁才得到建筑、海港才得到开辟、城墙才得到修筑、运河才得到挖掘、舰队才得到装备、军队才得到训练。所有这些事情都是在政府的关注下展开的,尽管这种政府也是由那些受制于人类所有弱点的人所组成的,但是它却凭借着想象力最为精致且最为巧妙的一种发明,而成了一种在某种意义上能够不受所有这些弱点影响的制度性安排”[57]。这项发明就是:政府在践履这些以肯定性的目的和权宜之策为旨归的任务的时候,不得享有强制性的权力,而且还必须遵守一般且不变的规则。当然,这些规则的目的就是要通过创建一种整体秩序所必需的否定性条件——和平、自由和正义——来达致这种整体秩序。

【注释】

[1]S. S. Wolin,'Hume and Conservatism',*American Political Science Review*,XLVIII,1954,p. 1001.

[2]约翰·洛克(John Locke)似乎早就明确意识到了“理性”(reason)这个术语所发生的这种变化。在其晚近发表的《论自然法》(*Essays on the Law of Nature*,ed. W. von Leyden,Oxford,1954,P. Ⅲ)一书中,他指出:“我认为,所谓理性,在这里肯定不是意指那种构成思想之链和推论证明的理解能力,而是意指某些产生了各种美德以及确当形成道德规范所必需的任何条件的明确的行动原则。”

[3]参见 C. Nishiyama,*The Theory of Self-tore:An Essay on the Methodology of the Social Sciences,and Especially of Economics,with Special Reference to Bernard Mangeville*,University of Chicago,Ph. D. Thesis(Mimeographed),Chicago,1960.

[4] *The Letters of David Hume*, ed. by J. Y. T. Greig, London, 1932, Vol. Ⅱ, p.444.

[5]我最初注意到休谟著作中的这些内容,得感谢 Arnold Plant 教授在多年以前给我的指点。他对休谟财产权理论做出了重大的发展,我们真切地希望他在这个方面的论著能够早日面世。

[6]E. M. Mossner,*Life of David Hume*,London,1954,p. 311. 有关休谟与辉格党人和托利党人之间的关系,读者可以参见 Eugene Miller 所做的研究:“David Hume: Whig or Tory?”,*New Individualist Review*,1/4,Chicago,1962。

[7] Thomas Carlyle,"Boswell's Life of Johnson".

[8] Friedrich Meinecke, *Die Entstehung* des *Historismus*, 1938, V01. I, p. 234.

[9] Douglas Adair, 'That Politics may be reduced to a science. David Hume, James Madison and the Federalist', *Huntington Library Quarterly*, XX, 1957.

[10] H. B. Acton, 'Prejudice', *Revue Internationale de philosophie*, XXI, 1952.

[11] Ⅱ, p. 235.

[12] C. Bay, *The Structure of Freedom*, Stanford University Press, 1958, p. 33.

[13] Ⅱ, p. 245.

[14] Ⅱ, p. 235.

[15] Ⅱ, p. 296.

[16] Ⅱ, pp. 258 ~ 273. 就此而言,休谟还得益于格劳修斯(H. Grotius);关于这个事实,请注意休谟本人所做的陈述,Ⅳ, p. 275。

[17] Ⅱ, p. 259.

[18] Ⅱ, p. 261.

[19] Ⅱ, p. 266.

[20] Ⅱ, pp. 266 ~ 267.

[21] Ⅱ, p. 267.

[22] Ⅳ, p. 180.

[23] Ⅱ, pp. 267 ~ 268. 原文整个段落都是斜体字。

[24] 参见Ⅱ, p. 258:"虽说这些正义规则是人为的,但却不是任意专断的。当然,把这些正义规则称之为自然法,也无不当,只要'自然的'一词所意指的是任何一种物类所共有的东西,甚或只要我们把这个词严格限于意指某种与某个物类所不能分离的东西。"

[25] Ⅱ, p. 293.

[26] Ⅱ,p. 263.

[27] Ⅱ,p. 318.

[28] Ⅱ,p. 263,参见Ⅳ,p. 275.

[29] Ⅱ,p. 274.

[30] Ⅱ,p. 306.

[31]参见Ⅱ,p. 301:"在现实的小利益与维续社会秩序之间,人们往往倾向于选择前者;而我们知道,社会秩序的维续特别依赖于人们对正义的遵守。……你和我一样,都有舍远而图近的倾向。"另请参见Ⅱ,p. 303:"这就是政府和社会的起源。人们无力彻底救治自己或他人所具有的那种舍远图近的褊狭天性。他们无法改变自己的天性。他们所能做的就是改变他们的境况,并且使遵守正义成为某些特定的人的直接利益。……但是值得注意的是,依此方式执行正义虽说是政府的主要优长,却不是它唯一的优长。……政府并不满足于在人们为了互利而缔结的协议当中保护他们,而且还常常要求他们订立这样的协议,并强使他们在同意促成某种公共目的的情况下去追求他们自己的利益。人性中致使我们在行事的过程中发生致命错误的特性,也就是导使我们舍远图近的那种特性。"

[32] Ⅱ,pp. 298 ~299. 又请参见Ⅱ,p. 318:"显而易见,如果人们在这个方面依据一种特定的利益(而不论是公益还是私利)来调整他们的行为,那么他们就会陷入无穷无尽的混乱之中,而且还会使整个政府治理的工作在很大程度上失去效力。每个人的私利都是不同的;再者,尽管公益本身永远是同一不变的,但是由于每个特定的人都对公益持有不同的看法,所以公益也就变成了重大纠纷的渊源。……如果我们为了追求同样的利益而将特定的财物分配给特定的人,那么我们就会使我们自己的目的落空,而且还会使那项规则所旨在防止的那种纠纷或纷乱情势不断地持续下去。因此,我们在行事的过程中必须以一

般性规则为依凭，并依据一般性利益来调整我们自己的行为。”

[33] Ⅱ, p. 273.

[34] Ⅱ, p. 283.

[35] Ⅱ, p. 269. 这段文字特别清楚地表明，休谟的功利主义乃是人们在今天称之为的那种“有限的”功利主义（a restricted utilitarianism），而不是“极端的”功利主义（an extreme utilitarianism）。参见. I. I. C. Smart, “Extreme and Restricted Utilitarianism”, *Philosophical Quarterly*, Ⅵ, 1956, and H. J. McCloskey, “An Examination of Restricted Utilitarianism”, *Philosophical Review*, LXVI, 1957。

[36] Ⅳ, p. 273.

[37] Ⅳ, p. 187.

[38] Ⅱ, p. 252.

[39] Konrad Huber, *Massnahmegesetz und Rechtsgesetz*, Berlin, 1963, p. 133.

[40] Ⅲ, p. 161.

[41] K. Huber，同上。

[42] Ⅲ, p. 116.

[43] Ⅲ, p. 96；又请参见《英国史》, V, p. 110：“在君主宪政架构中，必须保有一种永恒的戒备之心以防范主权者，因此不得把任何有可能影响到国民之人身自由或财产的自由裁量权赋予主权者。”

[44] Ⅲ, p. 178，又请参见 p. 185：“根据一般性法律来治理一个大国，乃是一件极为困难的事情，以至于任何人之天资（不论有多么全面）都不可能通过理性和思辨的方式将它付诸实施。在这项工作中，众多人的判断必须统一起来：他们必须用经验来指导他们的工作，而且也唯有通过时间的磨炼才能够一点一点地将这项工作完善起来；他们必须根据他们对不便之处的感受来纠正他们在最初的尝试和实验过程中必定会犯的错误。”

[45]*History*,V,p. 280.

[46]Ⅳ,p. 274.

[47]参见 C. H. Sabine,*A History of Political Theory*,rev. ed,New York,1950,p. 604.

[48]参见 R. Klibansky 为 Hume,*Theory of Politics*(ed. by T. Watkins,London,1951,p. 246,note to p. 246 and also note to p. 88)一书所撰写的附录。

[49]Ⅱ,p. 419.

[50]Ⅱ,p. 428.

[51]Ⅱ,p. 429.

[52]Ⅱ,p. 436.

[53]最为直接的渠道似乎是伊拉斯穆斯·达尔文(Erasmus Darwin),他很显然受到了休谟的影响,因此他对他的孙子的影响也是毋庸置疑的。

[54]Ⅳ,p. 187.

[55]Ⅲ,p. 99.

[56]Ⅲ,p. 118.

[57]Ⅱ,p. 304.

历史学家与欧洲的未来 [*][**]

我们能否在这次世界大战后重新建构起某种类似于一种共同的欧洲文明的共同体,将在很大程度上取决于战后最初几年中所发生的情势。伴随着德国的崩溃而产生的一系列事件,很可能会导致诸如此类的恶性事情,比如说,把整个中欧在数代人的时间当中甚或永久地从欧洲文明的范围中切割出去。如果发生这种情况,那么类似的发展趋势似乎也不可能仅局限于中欧。此外,如果欧洲的命运真的堕入野蛮状态,那么英国也不可能逃脱这些后果的影响,尽管一种新的文明最终仍会从中得到诞生。英国的未来与欧洲的未来乃是紧密联系在一起的,而且也不论我们是否喜欢,欧洲的未来都将在很大程度上取决于德国的情势。因此,至少为了欧洲文明曾经建基于其上的那些价值,或者为了那些仅凭靠自身的力量就能够构成我们据以逐渐趋近于实现那些理想——亦即指导我们行事的那些理想——之基础的那些价值,我们也必须努力使德国回到欧洲的怀抱并使它得到恢复。

---

* 本文译自哈耶克著:*Studies in Philosophy, Politics and Economics*, The University of Chicago Press, 1967, pp. 135 ~ 147。

** 本文是我(哈耶克)于1944年2月28日在剑桥大学的King's College向政治学社宣读的论文,当时的主持者是John Clapham爵士。本文在此前不曾发表过。

在我们考虑我们能够在实现这个目的的方面有何作为之前，我们必须努力为我们期望在一个战败的德国中发现的那种知识状况和道德状况提供一幅现实的图景。如果说这里有什么可以被认为是确定不争的话，那么在我看来这就是：第一，即使在我们赢得这场战争以后，我们也无力确使战败者按照我们所希望的那样去思考问题；第二，我们的能力所能及者只是帮助那些前景看好的发展；第三，任何试图改变战败者政治信仰的愚蠢努力都极可能导致那些与我们旨在实现的结果相违背的结果。直到今天，我们还可以听到两种同样幼稚且极具误导性的极端观点：一种极端观点认为，所有的德国人都受到了腐蚀，因此只有从外部强行对新一代的德国人实施一种彻底的教育才能改变他们的思想；另一种极端观点则认为，一旦德国的民众摆脱了当下统治者的控制，他们即刻就会乐于接受那些与我们相类似的政治观念和道德观念。然而值得我们注意的是，现实情况肯定要比这两种观点所描述的情形复杂得多。的确，我们很可能会发现德国几乎就是一个道德和知识的沙漠，但是在这片沙漠中，毕竟还存有许多绿洲，其间的一些绿洲还相当不错，只是彼此之间几乎是完全隔绝的。它们所具有的一个最为显著的特征就表现在它们缺乏任何共同的传统——除了共同反对纳粹这一点以外——而且也没有任何共同的信念。这就是说，他们对所有的政治理想都感到彻底的绝望，并且对政治行动能够明确实现的那些目标也都保有一定程度的怀疑乃至是冷嘲热讽。初看上去，那些德国人无论如何都会存有一些美好的愿望，但是需要强调指出的是，最为显见不争的很可能是这样一个问题，即这些善良的意图如果没有那些被我们视之为当然的共同的道德及政治传统作为统一它们的因素，就会变得毫无力量可言。因为一如我们所知，那些共同的道德及政治传统在德国因十多年来与外部世界的彻底隔绝而遭到了摧毁,而其蒙遭摧毁的程度实是英国人难以想象的。

然而,针对上述第二种极端观点,我们也必须做好准备,不仅要充分认识到在某些得以保存下来的"绿洲"当中还维续着一种极高的知识水准,甚至还要直面这样两种情况:第一,许多德国人已然汲取了我们至今尚未理解的某些教训;第二,对于那些具有丰富经验的德国人来说,我们所拥有的一些观念实是极其幼稚且无比单纯的。尽管学术性的讨论在纳粹政权的统治下受到了种种阻碍,但是这决不意味着这样的讨论就完全终止了。从我读到的德国在战时出版的为数不多的样书来看(以及从我最近能够阅读到的德国出版的完整书目来看),我有这样一种印象,即德国人对战争时期的社会政治问题所进行的学术讨论的知识水平至少不低于英国讨论的水平——个中的原因很可能是许多最为杰出的德国人不是不准直接参与战争的工作,就是自己不愿意直接参与战争的工作。

就此而言,我们必须寄希望于那些坚持以学术独立的方式进行思考的德国人——他们在德国人口当中所占比例并不大,但却足可以与任何国家独立思考的人数相比较——而且还必须给予他们以我们所能给予的任何帮助。发现他们并帮助他们而同时又不使他们在他们的同胞面前信誉扫地这项工作,可以说是一项极为细致且非常棘手的工作。如果这些德国人想成功地使他们的观点得到盛行,那么他们就需要从外部获得一定程度的道义支持和物质帮助。但是需要强调的是,他们也同样需要防止战胜国建立的政府机构所实施的想利用他们的做法。尽管这种做法是善良的,但却是不当的。尽管他们很可能急着想与那些同他们有着共同理想的其他国家的人士重新建立联系并且从他们那里得到善意的同情,但是他们却完全有理由不以任何方式变成战胜国建立的政府机构的工具。值得我们注意的是,除非双方都刻意地为赞同某些基本理想的个人创造平等会面的机会，否则这样的联系是不可能很快重新建立起来的。但是长期以来，这样的机会都只能是由战胜国一方提供的。此外，在我看来，有一点是确定无疑的：如果这样的努力要想取得有益的结果，那么它们就必须以私性个人的努力而不是以政府机构的努力为依凭。

就刻意地在个人之间与群体之间重建各种具有良好效果的国际联系而言，我们有许多途径可循。在这个方面，左派政治群体也许可以最容易也最为迅捷地建立起它们之间的国际联系。然而显而易见的是，这种联系决不应当仅限于政党派别之间。此外，如果这种联系在一段时间中只发生在左派政治群体之间，那么无论从哪个角度来看，这种情况都是极为不幸的。如果说一种较为世界化的观点在德国再度成为左派的一项特权（在很大程度上讲，过去的情形就是如此），那么这种情形完全有可能促使大量的中间派群体再度信奉一种民族主义的态度（a nationalist attitude）。因此，在国内政治方面现存的那些联盟组织无法即刻提供联系渠道的情况下，帮助恢复那些群体之间的联系，虽说是一项较为困难的工作，但在某些方面来看却是一项更为重要的工作。再者，尽管就一些政治理想达成某种最低限度的共识乃是任何形式的合作所不可或缺的，但是任何按照党派路线形成的联盟或集团却是人们实现上述目的的一个明确的障碍。

今天晚上，我想更为具体地讨论一下历史学家在这个方面所能够发挥的作用——我所谓的历史学家（historians），在这里实际上是意指所有在过去和当今研究社会的学者（all students of society）。毋庸置疑，在那种所谓的"对德国人的再教育"（reeducation of the German people）的过程中，从长远角度来看，历史学家将发挥一种决定性的作用，正如他们曾经在阐发那些在今天支配着德国的观念的时候也发挥过决定性作用一般。我知道,英国人很难理解这种学术工作在德国有着多大且多么直接的影响,而且也很难理解德国人有多么认真地看待他们的教授——其认真的程度几乎就像德国教授认真看待自己一般。19 世纪的德国政治史学家在推动人们崇拜强权国家(power-state)并传播那些扩张主义思想的方面所起到的那种作用,几乎不论怎么评估都不会过头,而我们知道,正是人们对强权国家的崇拜以及那些扩张主义的思想造就了现代德国。的确,正如阿克顿勋爵(Lord Acton)在 1886 年所指出的那样,"那些曾经把普鲁士式的优越性与他们自己紧密联系在一起的杰出的历史学家,现在却把柏林视作一个要塞"。正是这些历史学家传播了这样一些观点,"根据这些观点,那种集中在一个比 Latium 更不友善的地区中的野蛮力量,被用来吸收并强化那些勤奋且热心的德国人所具有的那种发散式的感伤品质以及多少有些怪异的禀赋"。阿克顿勋爵还指出,实际上,"在探究历史的过程中,很可能没有哪个重要的群体要比那个主要由 Sybel,Droysen 以及 Treitschke 所代表的并以 Mommsen,Gneist,Bernhardi 和 Duncker 为辅助力量的群体更违背我们的情感了",因为它太过强调了"那些准则,而我们知道,整个世界只有付出极为昂贵的代价才能否弃那些准则并彻底消除它们的影响"。值得我们注意的是,同样作为历史学家的阿克顿,尽管在很大程度上对德国赞美有加,却在 50 年以前就已经预见到了这样一种情况,即那些极富天智的人士(主要是指那些聚集在柏林的人士)建构起来的那种巨大的力量,实是"盎格鲁-撒克逊民族会在将来遭遇到的一个最大的危险"。在我看来,阿克顿勋爵能够做出这种预见,绝非偶然。

尽管我不可能在这里详尽地讨论那些历史学家的说教究竟是如何催生那些在今天支配着德国的教条思想的,但是你们很可能会同意我的这样一个观点，即他们的影响是非常大的。即使是纳粹意识形态中某些最令人憎恨的特点，也可以追溯到德国历史学家那里去。因为一如我们所知，尽管希特勒本人很可能从来就没有读过那些历史学家的论著，但是他却是在那些历史学家的思想所支配的氛围中成长起来的。各种种族学说的情况尤其如此；尽管我相信这些种族学说最初是德国历史学家从法国学者那里继受而来的，但是它们却主要是在德国得到发展的。如果时间允许的话，我还会讨论这样一个事实，即从某些其他方面来看，那些像松巴特（Werner Sombart）一样具有国际名望的学者，在一个世代以前所教授的东西实际上与晚些时候的纳粹学说并无二致。当然，为了不把所有的罪责都归咎于历史学家，我还应当补充说明一点，即在一个与此相关的领域当中，我自己本专业的一些同事，亦即某些经济学家，也自甘堕落为极端民族主义诉求的工具，以至于当四五十年以前海军上将梯尔皮茨（Tirpib）发现那些大实业家在接受他的海军政策方面相当勉强的时候，他居然能够开列出一批支持其海军政策的经济学家的名单，以期说服资本家们相信他所主张的帝国主义诉求是有诸多好处的[1]。

然而，毋庸置疑的是，历史学家本身的影响却是最为重要的。此外，人们也有种种理由相信，历史学在未来的影响，不论好坏，都会大于它在过去的影口向。大多数传统在延续过程中的完全断裂，本身就可能促使人们重新诉诸历史以探寻那些能够为未来的发展提供基本基础的传统。一如我们所知，历史发展过程中所发生的所有不幸事件的前因后果或发生方式，以及那些会引起公众热切关注而且还几乎肯定会成为政治分歧之焦点的疑难问题，都将成为历史学家在书写历史的时候所需探讨的论题。

一如前述，关于促使德国人重新审视晚近的历史并且认真考虑大多数德国人尚未意识到的某些事实这件事情,相当急迫。而从我们的观点来看,这件事情之所以非常迫切,还有另外一个原因。作为德国大众乃至德国国家中几乎每一个成员思考之出发点的那幅有关晚近历史的图景,实际上是那种极难消除其影响的纳粹宣传的产物。特别重要的是,我们应当牢记这样一个要点,即在我们形成我们有关德国人的责任和德国人的品格的看法的方面一直起着决定性作用的许多事实,不是大多数德国人所不知道的,就是他们因不在意而未能记住。尽管许多德国人一开始都愿意承认盟国有理由不信任他们,而且盟国也有理由坚持要求采取广泛的预防措施以防德国再次发动侵略,但是即使是德国人当中最通情达理的人也会很快就因为那些强加给他们的约束性措施在他们看来太过分而改变态度,除非他们充分认识到了他们给整个欧洲带去的全部灾难。一如我们所知,第一次世界大战结束以后,两大交战方在对他们互相谴责对方的那些事实的认识方面完全各执一词,但是致使他们的看法发生冲突的那条鸿沟却从来没有得到真正的填补。那种希望不计前嫌的大度(至少英国人表现出了那种大度),居然导致了这样一个结果,即第一次世界大战刚结束没有多久,几乎所有不适合纳入德国图景的事情都已经被当做"令人不快的故事"而被人们淡忘了。我们很可能会再一次发现,我们在战争期看到的有关德国人的报道并不全都是真实的。然而,这不过是我们应当重新认真审视所有事实亦即把明确无误的事实与那些谣传严格区分开来的另一个原因而已。遵循那种"既往不咎"(letting bygones be bygones)并且不去探寻纳粹时代之劣迹的自然趋势,对于人们与德国人达成真正谅解的前景来说无疑是致命的。关键之处在于:在德国人自己承认晚近德国史中所发生的那些特别令人憎恨的事实以前,我们决不能够遗忘那些事实。在第一次世界大战以后,大多数德国人之所以用一种“无辜受害”的情绪去应对停战安排,在很大程度上就是因为他们真的不知道那个时候人们对他们提出的各种指控——实际上,在那个时候,战胜国中几乎所有的人都认为他们有罪。

这些问题肯定会被人们讨论——而且一定会被那些消息不灵通的政客们以一种互相反责的方式进行讨论。但是需要指出的是,如果我们想造就的并不是那种会导致未来冲突的新导火索,而是某种类似于共同观点的东西,那么这些问题就绝不能完全由党派争议或民族主义情绪去支配,而必须以这样一种情况为依凭,即那些希望把探寻真相作为首务的人能够以一种较为平实的态度去讨论这些问题。特别是在德国,这些讨论所造成的结果究竟是新的政治神话还是某种近似于真相的东西,将在很大程度上取决于德国人民会听取其意见的那个历史学家群体的所作所为。就我个人而言,我坚信那种决定着德国人未来理念的论著将源自于德国国内,而不是出自于其他国家。我们现在常常能够听到这样一种建议,即战胜方应当为培养和教育德国未来数代人编写出版一批教科书;然而,在我看来,这项建议却傻得可怜,因为这种努力所产生的结果必定会适得其反。任何官方强加的信念,任何为了取悦一个取代原有权力机构的新的权力机构而书写的历史(有人在过去就为了那个原有的权力机构的利益而杜撰了太多的德国历史),乃至任何受到外国政府(或移民)激励或鼓舞的人,都不可能指望在德国民众当中赢得信任和持久的影响。我们所能够希望的最好情况(以及我们在德国以外所能够做的唯一有助益的工作),就是历史学家们在书写那种会影响到德国人思想方式的历史的时候,会诉诸一种探寻真相的真诚,而不会屈从于任何权力机构、民族、种族和阶级等因素的影响。由此可见,历史绝不能成为国家政策的一项工具。

在德国,最难重建的便是相信存在着一种客观真相的那种信念——也就是相信存在着一种并不是为了服务于某种特定利益而书写的历史之可能性的那种信念。我认为,这正是国家间合作有可能产生巨大价值的地方之所在。当然,前提条件是这种国家合作是在自由的个人之间展开的。这种国家间的合作可以表明,人们完全有可能在不愚忠国家的情况下达成共识。如果那些较为幸运国家的历史学家能够树立这样一种榜样,亦即在任何必要的情况下他们都会勇于批评他们自己的政府的话,那么这种国家间的合作便会变得特别有效。历史学家期望得到其他国家同行的认可和鼓励的诉求,也许是使他们免受民族主义情绪之腐蚀的最强有力的保护措施,而且国际联系越密切,这样的危险也会越小——正如封闭孤立历史学家的做法几乎肯定会产生相反的结果一般。我特别清楚地记得,在第一次世界大战以后,那种把德国人从某些知识社群团体中全部驱逐出去并且把他们排除在某些国际科学大会以外的做法,实是把许多德国学者推到民族主义阵营当中去的最强有力的力量之一。

由此可见,历史教育的真实性对于德国未来数代人来说有着至关重要的意义。因此,即使就这一点而言,恢复德国历史学家与其他国家历史学家的联系这一做法也有着很大的价值。此外,我们为了实现这个目的而能够提供的任何便利条件亦将发挥一种相当有助益的作用。需要指出的是,尽管严格尊重事实乃是至关重要的,但是我却认为这一点并不足以阻止历史在历史研究和历史教育的过程中被扭曲或曲解。就此而言,我们必须在严格的历史研究与那种向大众展示历史的历史戏说之间做出明确的界分。现在,我要讨论的乃是一个特别微妙而且争议颇多的论题,而且我对这个问题的讨论也极可能会被指责为与自己前面所说的内容相矛盾。但是,我还是坚信,如果历史教育不传达某些默会的或明确的判断,那么它就不可能有效;因此,它的效用在很大程度上将取决于它所适用的道德标准。即使纯学术的历史学家努力使他的历史研究保持一种“纯粹的”和严格“科学的”样式,市面上仍会存在大量为一般公众而书写的历史故事,而正是这些历史故事会成为人们判断历史的尺度并因此而具有更大的影响力。事实上,我认为,如果说那些视真相高于一切的德国历史学家的影响力远远不及他们更具政治倾向的同行,又如果说那些视真相高于一切的德国历史学家所具有的那种影响力在方向上与他们更具政治倾向的同行所具有的影响力不存在什么差异的话,那么这在很大程度上是因为前者主张极端的伦理中立(ethical neutrality)所致——这种极端的伦理中立的历史认识进路倾向于根据“当时的情势”(the circumstances of the time)来“解释”——并据以证明——所有的事情,甚至还不敢实事求是地讨论问题。一如我们所知,那些具有强烈政治倾向的历史学家一直在谆谆教导德国人要信奉这样一个道理:第一,政治行为不能以道德标准来衡量;甚至第二,目的可以证明手段为正当。但是我们在这里所需要强调指出的却是这样一个问题,即上述那些科学派的历史学家在这个方面所起到的作用实在不亚于那些具有强烈政治倾向的历史学家。我个人认为,不论从哪个角度来看,对真相的最高尊重无论如何都不会与那种在我们判断历史事件的时候适用极为严格的道德标准的做法相冲突的。此外,我还认为,德国人所需要的(以及在过去原本会特别有助益于他们的东西),实际上乃是这样一种能够医治他们病症的强药剂:亦即按照当下的时尚被称作为“辉格派历史学”(Whig history)的那种历史学——阿克顿勋爵便是这种历史学的最后一批伟大的代表人物之一。未来的历史学家必须有勇气指出希特勒是个恶人,否则他们花时间去“解释”

他的所作所为就只会有助于美化他的罪行。

在培育并确立某些共同的道德判断标准的过程中，跨国合作极可能会发挥很大的作用——尤其当我们必须面对一个在近些年中传统大范围崩溃且道德标准极度沦丧的国家（即德国）的时候，它的作用就更大了。然而更为重要的是，唯有当这种合作是在同那些（或者至少是在同我们愿意与之合作的那些）准备赞成某些道德标准并且在工作中始终遵循某些道德标准的人之间展开的时候，这种跨国合作才有可能实现。在我们的生活中，除了真相至上以外，我们还必须拥有某些共同的价值：第一，我们至少就日常的道德伦理规则必须适用于政治行动这一点达成共识；除此以外，第二，我们还必须就某些最为普遍的政治理想达成某种最低限度的共识。上述第二者所需要的很可能只是：首先，人们必须共同信奉个人自由这项价值；其次，人们必须对民主保有一种肯定的态度，但是同时却不得以一种迷信的方式盲从任何教条式的或专断式的“民主”措施；尤其重要的是，人们还必须像反对少数人的压制一样反对多数人的压制；最后，人们必须反对任何形式的全权主义，而不论它是源自左派还是出自右派。

需要指出的是，尽管这方面的合作只有在不同的合作者就一系列共同的价值达成共识的时候才是可能的，但是颇令人感到怀疑的是，为达致这个目的而制定某项纲领的做法是否也能够有助于这个目的的实现。我个人认为，任何简要的纲领，不论制定得多么精巧，都不可能以一种令人满意的方式把我想到的那些理想表述出来，甚或也不太可能把相当数量的学者团结在一起。就此而言，某个高度体现了这样一种学社所必须服务于的那些美德和理想的伟大人物，看来要比任何这类专门设计出来的纲领更有效。因为这样一位伟大人物的名字可以作为一面旗帜，而所有对此表示赞同的人都可以团结在这面旗帜之下。

我认为,有一个伟大的名字是我们可以使用的,它的适合程度简直就像是专门为了这个目的设计出来的一般。这位伟大的人物就是阿克顿勋爵。确切地说,我想给你们提出这样一项建议,即“阿克顿学社”(Acton Society)也许能够成为一个可以帮助英国历史学家与德国(也许还有其他一些国家)的历史学家进行合作的最合适的机构;而这也正是我一直在努力勾画的那幅蓝图*。在阿克顿勋爵的身上,集合了许多特点,而正是这些特点,使得他几乎成了唯一能够胜任这种象征的人。当然,从阿克顿所接受的教育来看,他只是半个德国人,但是从他所接受的历史学的训练来看,他却不只是半个德国人。正是基于这个原因,德国人几乎把阿克顿当做了他们当中的一员。与此同时,阿克顿勋爵还把伟大的英国自由主义传统与欧洲大陆自由主义传统的精华融合为一体。就此而言,晚近以来也许还没有一位人物能够与

---

* 这就是于1947成立的“朝圣山学社”。在这个著名学社成立的过程中,哈耶克指出:“在提到那些因一时的缘故而不能同我们相聚此处的那些人士之后,我还必须提及另外一些人士,他们曾经给了我以特别的支持,但是却永远不能再与我们相聚了。事实上,我曾就这次会议的计划同两位先生进行了最为详尽的讨论,然而他们两人却都未能亲眼看到这项计划的实现。三年前,我第一次向John Clapham爵士在剑桥大学主持的一个小组粗略地概述了这项计划,他对此项计划产生了浓厚的兴趣,可是一年以后他却突然撒手而去。将近一年以前,我又就这一计划的所有细节同另一位学人进行了充分的讨论,他就是芝加哥大学的Henry Simens,可以说他把整个一生都献给了我们所关注的那些理想和问题。可是数周以后,他即告离世了。除了这两位先生以外,我还要提及一位更年轻的学者,他也对我的计划给予了极大的关注,如果他还活着的话,我当会希望他——Etienne Mantoux——成为我们这个组织的常务秘书,因为他是这个职位的理想人选。由此你们会知道,我们这个群体甚至在初次有机会相聚之前就已经蒙受了多大的损失”(参见本丛书第三辑所收入的哈耶克于1967年首次发表的《自由与文流——“朝圣山学社”首次大会开幕词》)。——邓正来注

阿克顿勋爵相媲美。所谓“欧洲大陆自由主义传统的精华”,乃是意指始终在其真正且全涉的意义上使用“自由”的那种思想派别。正如阿克顿勋爵所指出的那样,它并不是意指“那些把自由当做次等权项加以捍卫的人”,而是意指那些把个人自由视作是具有至高无上之价值而“不是一种为了实现某个更高政治目的的手段”的人。

如果说我们有时候认为阿克顿勋爵所采取的那种用一些普遍的道德标准去审视各个时代和各种情势的苛刻做法是一种错误的话,那么当我们把赞同他的一般观点当做一种选择标准的时候,那只会有百利而无一弊。我真的不知道还有什么其他人物是我们能够以这样一种有把握的方式去谈论的:如果在这次世界大战结束以后我们发现一位德国学者真诚地赞同阿克顿勋爵所信奉的那些理想的话,那么我们可以肯定地说他就是任何一个英国人都会毫不犹豫地与之握手的那类德国人。尽管阿克顿勋爵从德国那里接受了许多东西,但是我还是认为,他不仅比许多纯粹的英国人更彻底地否弃了德国人身上的那些令我们痛恨不已的陋习的影响,而且也要比大多数其他人更早且更明确地洞见到了德国发展趋势中的危险之处。

在我对阿克顿的政治哲学做出更为详尽的讨论以前,请允许我再指出他的名字对于实现我们的目的所具有的另外一两个好处。

第一,阿克顿是一位天主教徒,甚至是一位非常虔诚的天主教徒,但是在政治问题上,他却始终能够做到完全不受罗马天主教的影响;即使在审视和判断他最崇敬的罗马天主教会这种制度的发展史的时候,他也会毫不动摇地坚持他所信奉的极其严格的道德标准。这在我看来极为重要,因为如果想在那些既非明确的“左派”亦非明确的“右派”的广大民众当中逐渐形成一种较为自由的观点,那么任何这方面的努力都必须极为谨慎地避免对欧洲大陆自由主义所特有的宗教信仰持一种敌视态度。正如我们所知，这种敌视态度已然在很大程度上把许多正直的人都推到了反对任何形式的自由主义的阵营里去了。当然，我之所以认为阿克顿这样一位天主教教徒对于实现我们的目的极为重要，以上所述并不是唯一的原因。更为重要的原因是，在德国人民真正反抗希特勒的运动当中，天主教徒也发挥了极其重要的作用，以至于任何一个组织，只要其本身不是信奉罗马天主教的，便根本不可能使虔诚的天主教徒与它进行合作。因此，任何一个不信奉罗马天主教的组织都不可能指望在广大的中间群体当中赢得其事业成功所必须仰赖的那种影响力。从人们所能够读到的为数极少的德国的战时文献来看，我们几乎可以这么说，如果说德国现在还存有什么自由主义精神的话，那么在很大程度上讲，人们也只能在那些天主教群体当中发现这种精神。尤其就历史学家而言，我们几乎可以肯定地说，至少一些信奉罗马天主教的历史学家[我在这里特别想到了萨纳贝尔(Franz Schnabel)和他所撰写的 *Deutsche Geschichte im 19. Jahrhundert*]，与大多数其他的德国历史学家相比较，更为彻底地避免了民族主义的毒害和强权国家论的侵蚀。

第二，致使阿克顿勋爵的政治哲学有可能在战后的思想方面对许多德国人产生巨大吸引力的另一个原因，便是德国在今天流行着一种特别的时尚：所有的迹象都表明，伯克哈特(Jakob Burckhardt)的论著在今天非常受德国人的欢迎。尽管伯克哈特因信奉极度的悲观主义而与阿克顿有所差别，但是他们之间仍然存在着许多相似之处，其间最为突出的有下述三点：其一，他们都始终强调权力是一种首恶；其二，他们都反对中央集权制；其三，他们都对那些多民族的小国表示同情。的确，将伯克哈特的名字以及托克维尔的名字与阿克顿的名字并提——尽管不是在该学社的名称上而是在该学社的纲领中将他们的名字并提,实是极为可欲的。关于托克维尔,一如我们所知,他不仅是一位伟大的法国历史学家,而且也与阿克顿和伯克哈特这两位学者有着许多共同之处。将这三位伟大的历史学家的名字并提,很可能要比用阿克顿一个人的名字能够更好地标示出那种基本的政治理想*;而在那种基本的政治理想的激励下,历史学有可能给未来的欧洲提供它所需要的政治再教育——我们之所以这样说,也许是因为与几乎任何其他人相比较,这三位伟大的历史学家更好地继承和光大了一位伟大的政治哲学家的传统,而这位伟大的政治哲学家就是埃德蒙·伯克(Edmund Burke)——套用阿克顿的话来说,"伯克最耀眼夺目的时光,就是英国最为辉煌繁荣的时光"。

如果我想比较充分地证明我选择阿克顿勋爵作为指导我们努力从事跨国合作之工作的主要名字的做法是正确的,那么我就必须向你们阐明阿克顿勋爵的历史观及其政治哲学的大要。需要指出的是,尽管这是一项值得

---

* 关于这个问题,哈耶克后来在"朝圣山学社"首次大会开幕式上做过这样的解释:"当我在一份寄给诸位的通函中使用了一个多少有点夸张的术语即'政治哲学的国际院'(International Academy for Political Philosophy)时,通过使用'院'这个术语,我想强调的乃是我认为的至关重要的一个方面,这就是说,如果这样一个常设性的组织要实现它的目标的话,那么它就必须是一个封闭性的团体:它并不向所有人都开放,而只对那些与我们有着某些共同信仰的人开放。如果我们要保有这个特征,那么就必须经过选举方能获得加入我们这个团体的成员资格,而且也必须像其他显贵的学会一样认真对待成员资格的问题。我并不曾打算把我们自己的组织称为一个'院'。如果你们决定成立一个团体,那么当然应当由你们来为它命名。我对把它称为'阿克顿-托克维尔学社'(Actont-Tocqueville Society)的想法一直极感兴趣,也有人建议再加上伯克哈特(Jakob Burckhardt)作为它的第三位守护神可能更恰当。但是,现在我们还不必考虑这个问题。"(参见本丛书第三辑所收入的哈耶克于1967年首次发表的《自由与交流——"朝圣山学社"首次大会开幕词》)——邓正来注

为之付出努力的工作(而且极为重要的是,晚近有一位德国学者正在尝试做这项工作),但是我却很难在数分钟内扼要地阐明阿克顿的思想。在这里,我所能够做的只是从我私人收藏的阿克顿论著中挑选一些能够大体表明他所信奉的一些典型信念的文字段落读给你们听——尽管以这种方式做出的摘选会给你们留下一种多少有些片面且太“政治化的”印象(当然这是从一种不可欲的意义上而言的)。

首先,我将极为简要地概括一下阿克顿的历史观。阿克顿指出:“我的历史观乃是一种对于所有的人都一视同仁的事情的观念,因而不能从特殊且专门的视角来处理这件事情。”当然,这不仅意味着真相的单一性,而且也意味着阿克顿坚信道德标准具有普世的有效性。就此而言,我还想提请你们注意他在就职演说中的那段著名文字:

> 当我劝告你们永远不要低视道德的传播性或者永远不要降低正直的标准,而要根据那些支配你们自己生活的基本信条去审判其他人,而且不允许任何人和不允许任何事件逃避历史有权对罪恶处以的那种永恒惩罚的时候,那种有权势的观点便会反对我;因为我们知道,开脱罪行的请求和减轻惩罚的请求始终都会存在。……

在致一位同行历史学家的一封著名的书信中,阿克顿较为充分地阐发了这个论点。我很想详尽地征引这段著名文字,但是在这里我也只能给你们读其中的一两句话。在那封信函中,阿克顿坚决反对这样一种论点,即对伟大的历史人物的判断必须:

不同于对其他人的判断，而且还必须对那些伟大的历史人物做出有利于他们的假设：他们没有做任何错误的事情。在我看来，如果有什么假设的话，那就是与上述假设相反的假设，亦即不利于权力掌控者的那种假设，而且那种假设不利于他们的程度也要随着他们所拥有的权力的增加而增加。历史责任必须弥补法律责任的缺憾。权力趋于腐败，而绝对的权力则趋于绝对的腐败。大人物几乎总是坏人：甚至当他们实施影响力而不是实施权威的时候，亦是如此；而当你确信权力趋于或肯定趋于腐败的时候，就更是如此了。最为糟糕的左道邪说莫过于这样一种论调，即职位可以使得在此位的人变得神圣。这正是那些否定天主教教义的人与否定自由主义的人联手捍卫的要点之所在。

于是，阿克顿得出结论认为："在我看来，道德准则所具有的不可变更的完整性，就是历史学之所以具有效用、尊严和权威的秘诀之所在。"

由于我主要是根据阿克顿的政治思想与目前情势的相关性以及与我在上面所说内容的相关性节选他的文字的，所以我对阿克顿政治哲学的阐述也就肯定会更不系统和更不完整。我将给出几段引文但不作评论，而只希望它们会比我刚才征引的那些多少有些平平的文字具有更多的新意。但是需要指出的是，也许晚近发生的种种事件使得人们比较容易理解这些引文当中的某些文字所具有的重要意义，比如说，下面这段对我们今天称之为"全权主义"的体制进行讨论的文字：

无论何时，只要把某个单一明确的目标确定为一个国家的最高目的——不论这个目标是一个阶级的利益、这个国家的安全或权势、最大多数人的最大快乐，还是对任何思辨性理念予以支持，那么这个国家就会在一段时期内不可避免地趋向专制。唯有自由是个例外：自由的实现要求对政府权力施以限制，因为自由是唯一能够使所有的人都同样受益的目标，而且不会有人真正地反对它。

或者有如下述：

真正的民主原则，亦即任何人都不得享有宰制人民的权力的原则，却被用来意指人民的权力是任何人都没有能力对其施以约束亦无从规避的权力。真正的民主原则，亦即不得强迫人民做他们不愿意做的事情的原则，却被用来意指绝不能要求人民去忍受他们不喜欢的事情。真正的民主原则，亦即每个人的自由意志将尽可能获得解放的原则，却被用来意指集体的人民的自由意志将不受任何约束。

或者：

那种把自由与某项单一的权利（即做你有实际能力做的任何事情的权利）等而视之的理论，与那种通过某些不可更改的权利来保障自由并且把自由建立在并不是人们发明而且人们也无法舍弃的那种真相的基础之上的理论，不可能同时成为同一部宪法的构成性原则。因为我们知道，绝对的权力与对权力实施限制的做法是不可能同时并存的。实际上,它不过是真正自由的精神与伪装得最为巧妙的专制之间所展开的那场古老的争斗在今天的翻版。

最后:

自由以权力的分立为基础,而民主则趋于权力的集中。为了使权力机构相分离,我们就必须把它们从根上就分割开来。这就是说,我们必须创造条件把行政机构分割开来并加以维持。从日益发展的民主角度来看,一种有限的联邦制度有可能阻止权力集中和中央集权的趋势。

或许,阿克顿最为重要的论辩,乃是他在讨论民族问题的论文中所提出的那个论辩。颇为遗憾的是,由于这个论辩太长而无法在这里加以征引。在这篇论文中,阿克顿极其勇敢地向那种占据支配地位的说教提出了反对意见。当时,那种占据支配地位的说教认为[正如穆勒(J. S. Mill)所表达的那样]:"在总体上讲,政府的边界应当正好与民族的边界相符合,这一点是自由制度的一个必要条件。"阿克顿提出的反对观点则认为:"多民族在同一个政府治理下的共存,既是对自由的最佳保障,又是对自由的一种考验。它是文明的主要工具之一,也是一种自然的和符合天意的安排。再者,与作为现代自由主义理想的'民族单一性'(national unity)相比较,它还意味着一种更大的进步。"任何了解中欧情况的人都不会否认,我们根本就不可能指望那里会有持久的和平和文明的进步,除非上述想法最终赢得了胜利、变成了现实。此外,任何了解中欧情况的人也不会否认,解决中欧问题的最为可行的方案就是阿克顿所建议和倡导的那种联邦制度。

千万不要以为这些理想都是乌托邦,因而不值得为之奋斗。正是由于它们属于那些只有在相当遥远的将来方能实现的理想，所以它们才成了历史学家能够甘受其指导而不会有卷入党派纷争之风险的那种理想。作为一名老师，而且是一位不得不成为未来数代人的政治导师的历史学家，他就必须使自己不去考虑当下的可能之事而且也不为这些因素所影响，而应当去关注如何才能够使那些被正常的人视作是可欲的事情成为可能这样的问题，尽管从当下的思想状况来看，那些事情乃是不现实的。正是由于历史学家——不论他是否情愿——都在型塑未来的政治理想，所以他本人就必须接受那些最高理想的指导并且不受当下政治纷争的影响。指导他的理想越高远，他也就越能够不受那些旨在达到即时性目标的政治运动的影响，而且从长远来看，也越有指望使这个世界在目前尚未准备好去迎接的许多事情成为可能。只要牢记这些长远的目的，我就不相信我们所产生的影响不会大于当下流行的那种“顽固的现实主义者”(hard-boiled realist)的影响。

我相当确信，许多坚定信奉阿克顿勋爵在其论著中所阐发的那些理想的历史学家——更为准确地说是社会研究者——会成为一种恒久的强大力量。但是，你们可能会向我提出这样的问题：任何正式的组织，比如说我所建议成立的“阿克顿学社”，能够在趋近实现这个目的的方面做出什么样的贡献呢？对于这样的问题，我的回答是：第一，我不会对它作为一个机构而采取的行动抱过高的期望，而只会把它视作一种工具，期望它在不远的将来有可能在恢复无数的跨国个人联系的方面有很大的作为。我在前面业已指出，我们所能够提供的帮助和鼓励，在很大程度上讲不应当依凭官方的或政府的渠道。因此，关于这个问题的重要性，我想不必再做进一步的强调了。但是需要指出的是，在相当长的一段时间里，处于孤立状态中的个人却是很难有什么作为的。当一个人以个人一己的努力去寻找他愿意与之合作的另一方伙伴的时候,他所会碰到的纯粹技术性的困难就更大了。在这个方面,类似于"阿克顿学社"这样的学术社团(或者更是一种拥有一些经过挑选的成员的俱乐部)都可以提供很大的帮助。

需要指出的是,尽管我把这种推动个人间联系的工作视作是一个较为重要的目的,尽管我眼下也不可能详尽地勾画出"阿克顿学社"会采取哪些集体行动,但是我却相信,这类活动的范围还是很大的,其间比较重要的乃是编辑工作。显而易见,一些德国政治学论者所主张的那种政治哲学要比那些在过去70年间最具影响的论者所主张的政治哲学更符合我们希望推进的那些理想。因此,在把他们的论著挖掘出来予以出版并加以推广的方面,仍有大量的工作需要我们去做。即使创办一份主要致力于不同国家的学者共同讨论晚近历史问题的刊物也完全有可能被证明是极有助益的,而且也完全有可能把人们的讨论引到一个比第一次世界大战后所发生的那场有关"战争罪行"的争吵更有价值的方面去。无论是在英国还是在德国,一份并不刊登严格历史研究成果而只是把一般公众作为读者对象的说明历史问题的刊物,只要由负责任的历史学家进行审稿和编辑,也完全有可能被证明是成功的并且会发挥一种实实在在的作用。当然,类似于"阿克顿学社"这样的学术团体本身,决不会擅自裁定任何有争议的问题,而只可能在为不同国家的历史学家提供合作良机和讨论讲坛的方面发挥一种非常有效的作用。

但是,我不能让自己陷入到对任何细节的讨论当中去。我的目的并不在于请求人们来支持某个明确的项目,而毋宁在于提出一项尝试性的建议供你们批评。有关这样一种学社所具有的潜在益处,我想得越多,这种理念对我的吸引力也就越大,但是我也认为,我应当首先知道其他人对这个理念的想法，然后再考虑是否值得对这个理念做进一步的追求。因此，如果你们能够告诉我，你们是否认为在上述方向上进行某种尝试或努力是值得的，以及阿克顿勋爵的名字在你们看来是否是组建这样一种学术社团赖以为凭的一个合适的象征，那么你们的意见在我决定是继续追求这个理念还是放弃这个理念的时候便会给我提供很大的帮助。

【注释】

[1]在他所撰写的《回忆录》中，梯尔皮茨记载了这样一件事情，即海军信息部的一位军官被“派往巡访那些大学，而在那些大学中，所有的政治经济学家（包括Brenano）都愿意给予大力的支持。Schmoller，Wagner，Sering，Schumacher 以及许多其他学者都表示，海军的开支乃是有益的开支，等等”。

历史学与政治学 [*,**]

政治观点与有关历史事件的看法从来都是而且也必定是紧密勾连在一起的。过去的经验乃是我们得以对不尽相同的政策和制度的可欲性形成我们自己看法的一个主要基础，而我们现在的政治观点也不可避免地会影响甚或左右我们对过去的解释。然而，如果说人们从历史中学不到任何东西的观点过于悲观，那么认为人们总是能够从中习知真理的观点，也是完全可以质疑的。尽管过去的事件是人类经验的渊源，但是人们的观点却并不是由客观事实决定的，而是由他们接触到的那些历史记载和历史解释决定的。几乎没有什么人会否认这样一个事实，即我们对不同制度之优劣的看法在很大程度上是由我们对它们在过去所具有的作用的判断决定的。与此同理，鲜有哪个政治理想或政治观念会不涉及对一系列历史事件的判断，而且也极少有哪种历史回忆不是作为某个政治目标的象征而发挥作用的。需要

---

* 本文译自哈耶克著：*Studies in Philosophy, Politics and Economics*, The Universiy of Chicago Press, 1967, pp. 201～215。

** 本文是我(哈耶克)为 T. S. Ashton, L. M. Hacker, W. H. Hutt 和 B. de Jouvenel 所撰写的《资本主义与历史学家》(*Capitalism and the Historians*)论文集所写的导论。London and Chicago, 1954。

指出的是,一些至今仍在指导着我们的历史信念并不总是与事实相符合的;有时候,它们甚至是一些政治信念的结果,而不是形成这些政治信念的原因。人们在形成自己观点的时候,历史神话也许与历史事实起着几乎同样重要的作用。但是,除非我们据以从中得出结论的那些事实是正确的,否则我们很难指望从过去的经验中获益*。

据此我们可以说,历史书写者对公众意见所施以的影响,很可能要比那些阐发新思想的政治理论家所具有的影响更直接也更广泛。此外,我们好

---

* 就我研读讨论哈耶克思想的二手文献而言,几乎没有研究者对哈耶克在这个方面的观点做过探讨,然而在我看来,这个事实的存在根本无法遮蔽哈耶克在这个方面的观点的重要意义。哈耶克在20世纪50年代以后的研究,依我所见,基本侧重于对各种以唯理主义建构论为基础的观点进行理论上的批判,同时对那种以进化论自由主义为基础的观点进行阐释,但是却甚少论及这样两个问题:第一,各种并不一定以唯理主义建构论为前设但却以扭曲事实为基础的历史观与人们对于各种不同的制度或安排所形成的政治意见、社会意见以及经济意见之间的关系。一如哈耶克所言,这类历史观对于当下的人们形成有关各种不同的制度的图景有着至关重要的支配意义。即使研究者经由揭示被遮蔽的事实而否弃了那些历史观,那些历史观对公众意见的支配仍会继续下去。第二,有关公众意见的型构问题。一如我们所知,哈耶克自由主义理论的核心论辩之一是:自生自发秩序赖以为凭的法律系统乃是以公众"意见"而非某种"意志"为依凭的。然而,哈耶克在阐释这个论辩的过程中,除了在一般意义上指出"意见"的文化传统渊源以外,几乎没有讨论过"意见"的型构问题。在这篇论文中,哈耶克却具体讨论了历史研究范式在人们形成"意见"的过程中产生的作用。由此可见,哈耶克在这篇论文中对这些问题的讨论,不仅揭示出了具体的历史研究范式与意见型构过程的关系,而且还表现出了他的讨论与此后人们提出的"话语理论"之间的某种相关性。毋庸置疑,哈耶克的讨论因强调真实事实发现的可能性而在一定程度上展示出了这个论点与他在50年代以后强调个人在具体事实方面的"分立的个人知识"、"默会知识"和"无知"的观点之间的某种紧张。关于哈耶克这个方面的讨论,读者还可以参见本丛书第三辑所收入的哈耶克于1944年撰写并于1967年首次发表的《历史学家与欧洲的未来》一文。——邓正来按

像还有这样一种感觉:甚至那些新思想通常都不是以其抽象的形式而是作为对特定事件的解释而达至为数越来越多的人的。就此而言,历史学家在直接支配公众意见的方面至少要比理论家领先一步。在职业历史学家还没有动笔书写晚近历史的时候,人们在当下就晚近发生的事件所进行的争论也许已经为这些事件勾画出了一幅明确的图景或者若干不尽相同的图景,而这种明确的图景或者不尽相同的图景不仅会影响到目前的讨论,甚至还会影响到人们对新问题的是非曲直的看法。

人们在当下所持的有关历史的观点对政治观点所具有的那种深刻影响,在今天也许还没有在过去理解得那般充分。情势之所以如此,很可能是因为许多现代的历史学家都把自己装扮成了纯粹的科学研究者,而且还把自己装扮成了完全没有政治偏见的研究者。当然,就历史研究亦即探明并确定事实而言,这无疑是学者必须担当的一项职责。事实上,持有不同政治观点的历史学家在回答事实性问题的时候也没有妥切的理由不就此达成一致看法。但是在最初的时候,亦即在决定哪些问题值得追问的时候,个人的价值判断却肯定会发生作用。不过较令人感到怀疑的是,历史学家是否能够在不仅不根据各种有关社会进程相互关系的理论而且也不根据明确的价值观来解释一段相关历史时期或一系列事件史的情况下书写出这段历史时期或这些事件史——更为准确地说,我们至少可以追问这样一个问题,即这样书写出来的历史是否还值得一读。书写历史的工作与历史研究不同,它不仅是一门科学,而且也是一门艺术。那些尝试从事此项工作的作者,如果意识不到他们的任务就是一种根据明确的价值观进行解释的工作,到头来就只能够自欺欺人,并且成为他们未意识到的那些偏见的受害者。

我们知道,曾经在一个多世纪的时间里,一个民族的整个政治思想氛围，以及在较此略短的时期内，大多数西方国家的政治思想氛围，都是由一批历史学家的论著所形成的。就此而言，最佳的例证也许莫过于英国的“辉格派历史解释”（Whig interpretation of history）所产生的那种影响。我们可以毫不夸张地说，当时，在所有直接了解那些作为自由主义传统奠基人的政治哲学家的论著的人士当中，有许多人都是从诸如哈莱姆（Hallam）和麦考利（Macaulay）或者格罗特（Grote）和阿克顿勋爵（Lord Acton）等人的论著中汲取到这些思想的。颇为重要的是，那个曾经比任何其他人都更竭力贬损这种辉格传统的现代英国历史学家在后来却指出：“那些也许因为在年轻时深受那种错误的刻板教育的影响而希望驱赶走那种辉格解释的人……实际上正在打扫一间从人的角度来讲不可能长期空置的房间。他们为七个魔鬼敞开了大门，但是这七个魔鬼仅仅因为是新到者而注定会比最早到的那个魔鬼更坏。”[1] 尽管那个历史学家仍然认为“辉格史学”是一种“错误的”史学，但是他却强调指出，辉格史学乃是“我们的财富之一”，而且“它对英国的政治学产生了一种惊人的影响”[2]。

从任何相关意义上讲，有关“辉格史学”是否真的是一种错误史学的问题，直到今天很可能还没有定论。当然，这也不是我们在这里能够讨论的。但是需要强调指出的是，“辉格史学”在营造19世纪那种基本自由的氛围方面所具有的有益作用却是不容置疑的，而且这也肯定不是因为它在当时歪曲历史事实所致。在很大程度上讲，它乃是一种政治史学，而这种政治史学赖以为基础的主要事实可以说是为人们确切所知的。尽管“辉格史学”并不是在所有的方面都符合现代史学研究的标准，但是它却肯定使那些在其影响下成长起来的数代人真正意识到了他们的先辈为他们争取到的政治自由所具有的价值，而且还在他们捍卫并维续这项成就的过程中为他们提供了指导。

伴随着自由主义的式微,“辉格派的历史解释”也变得不合时宜了。但是,颇令人感到怀疑的是,历史学是否仅仅因为在今天自称是一门更具科学性的学问而真的就能够在它对政治观点最具影响力的那些领域中变成一种更可靠或更可信的指导吗?的确,政治史学已经失去了它在19世纪所具有的大多数力量和魅力;而且任何人也都无法肯定地说,我们时代的某部历史学论著在发行量或直接影响力方面能够与麦考利所撰写的《英格兰史》(*History of England* 生)这样的著作相媲美。然而有一点却是确定无疑的,即历史信念对我们当下政治观点的影响程度并没有减少。由于人们的兴趣已从宪政领域转向了经济和社会领域,所以作为驱动力而发生作用的历史信念现在也在很大程度上是由那些有关经济历史的信念构成的。人们完全有理由说,唯社会论的历史解释(a socialist interpretation of history)在过去两三代人期间主宰了人们的政治思想,而这种历史解释却在很大程度上是由一种特殊的经济史观构成的。唯社会论这种经济史观的一个显要之处在于:它宣称它所做出的大多数断言乃是“人所周知的事实”,然而这些断言早就被证明为根本就不是什么事实。但是需要强调指出的是,除了职业经济史学家以外,这些断言在很大程度上依旧被人们普遍视作是他们评价现行经济秩序的依据。

在大多数人被告知他们的政治信念受到了某些特定的经济史观的影响的时候,他们会这样回答说,他们对经济历史丝毫没有兴趣而且也从来没有读过这方面的书。然而这并不意味着,他们与其他人不同,不会把经济史论者在某个时候传播的许多传说视作是确凿无疑的事实。尽管在新的政治观点达至一般公众的那种间接且迂回的过程中,历史学家起着至关重要的作用,然而就是历史学家也主要是通过许多进一步的中间环节发挥其作用的。

实际上，也唯有经过若干重释或传播，历史学家所提供的图景才会成为大众的财富。正是通过小说、报纸、电影、政治演讲，当然也包括学校的教育和一般的谈话，普通大众才知悉了历史学家的历史观念。但是归根结底，甚至就是那些从不读书而且很可能从未听说过那些以自己的观点影响他们生活的历史学家的人，也是透过历史学家所展示的图景去看待历史的。比如说，有关某些问题的特定看法已经变成了我们这个时代民间传说的一部分。这些问题包括：工会的发展和影响，所谓垄断正在不断地发展，竞争导致的对商品库存的刻意销毁（事实上，不论这种事件何时发生，它始终都是垄断而且通常还是政府组织的垄断所导致的结果），压制有益的发明，“帝国主义”的原因和结果，以及军工业或“资本家”在引发战争方面的作用，等等。当许多人得知他们信以为真的大多数观点并不是确凿无争的事实而是虚构出来的神话的时候，他们在很大程度上都会感到惊讶的——这些虚构出来的神话实际上是一些论者出于政治动机而捏造出来的，尔后才由一些好心人传播给了在一般观点上与他们相投合的人。实际上，我们需要写好几本类似这样的书才能够阐明这样一个事实，即不仅是激进者而且也包括许多保守主义者就这些问题所持的大多数信念其实并不是历史而是政治传说。就这些问题而言，我们在这里所能够做的就是向读者推荐几部论著，使他们能够了解到学者们对其间的一些较为重要的问题所阐发的一些最新的观点[3]。

然而值得我们注意的是，目前盛传着一种超级神话，它在最大程度上贬损了我们在今天所享有的文明赖以为凭的经济制度。当然，本书的主旨也在于对这种经济制度进行检视。这个神话认为，“资本主义”（或“制造”或“工业”制度）的兴起导致了工人阶级地位的恶化。谁没有听说过“早期资本主义的恐怖”？又有谁没有这样一种印象，即资本主义制度的出现为那些从前还算富足舒适的平民大众带来了种种新的大灾难？因此，对于一种被谴责为一度恶化了最贫困且人数最众的阶级的地位的制度，我们完全有正当理由对它进行抨击并使它名誉扫地。这种相当情绪化的对"资本主义"的憎恨是普遍存在的，而人们之所以普遍持有这种憎恨，实是与他们持有的这样一种信念紧密相关的，即尽管竞争秩序使财富得到了毋庸置疑的增长，但是这种结果的取得却是以降低社会中最贫弱者的生活水平作为代价的。

的确，经济史学家曾一度把上述情形当做历史事实加以广泛传播。然而，论者们对相关事实所做的更为详尽的探查，却把上述观点驳斥得体无完肤。需要指出的是，尽管这场争论已有定论约三十年了，但是民众的观点依旧未变，就好像以前的那种观点仍是真实的。就此而言，有两个问题值得我们认真思考：第一，上述那种信念最初是如何形成的？第二，为什么上述那种信念在被证伪以后的长时间中仍能够继续决定公众的一般观点呢？

这种观点不仅常常可以见之于敌视资本主义的政治文献中，甚至还可以见之于那些在总体上对19世纪的政治传统持同情态度的论著中。这一点可以从下面这段节选自鲁介洛（Ruggiero）所著的极受人推崇的大作《欧洲自由主义的历史》（*History of European Liberalism*）的文字中得到相当充分的体现：

> 因此，我们可以准确地说，正是在工业发展最快的时期，劳动者的境况则变得严重恶化了。劳动者的工作时间大幅度增加；工厂雇佣妇女和童工以压低工资；工人之间的竞争日趋激烈，原因是他们不愿意再固守在他们各自的教区，而愿意自由地流动到最需要他们的地方并集中在那里——这种情况使市场上劳动力的价格

进一步降低。不可避免的是，在工业发展期间，由于人口和消费不稳定，还发生了无数且频繁的工业危机，进而不断地扩大了失业者和饥饿者大军[4]。

实际上，这种说法无甚理由可言，即使在25年以前亦是如此。当《欧洲自由主义的历史》一书出版一年以后，最杰出的现代经济史学家约翰·克莱芬爵士（Sir John Clapham）就不无理由地反驳道：

有种观点宣称，大约在起草《人民宪章》（*the People's Charter*）与“万国博览会”（the Great Exhibition）之间的那段时期内，劳动阶级的生活条件全面恶化了。这种虚构的说法流传很广，而且顽固得很。事实上，在1820～1821年价格下跌以后，一般工资的购买力——当然不是每个人工资的购买力——确实要比革命及拿破仑战争以前的购买力高；然而，这个事实却与那种传说极不相符，以至于人们很少提及这一点，即研究工资和价格的统计学者的论著总是为社会历史学家所忽视[5]。

尽管大多数要对在过去传播那种与事实相反的观点负主要责任的人已经不得不承认那些事实，但是就一般的公众意见而言，今天的情势并没有得到好转，因为那种与事实相反的观点依旧在流行。人们一般都认为，19世纪初期乃是工人阶级生活状况特别糟糕的时期。然而需要指出的是，哈蒙德夫妇（J. L. Hammond）在杜撰这个说法的方面可以说用力最多，而且人们也常常征引他们夫妇两人的论著来说明这个问题。但是，到了晚年，他们夫妇

两人却公正地承认:

> 统计学家告诉我们,在他们把他们所能够发现的那些数据整理清楚以后,他们相当满意地发现:第一,收入增加了;第二,当这种不满甚嚣尘上的时候,大多数人实际上要比那些在18世纪开始像秋天那般悄然离去之时的人们更富裕。当然,这方面的证据还不充分,而且对它的解释也不如此简单,但是这种一般性观点很可能或多或少是正确的[6]。

哈蒙德夫妇的这段论述并没有改变他们的论著对公众意见所造成的一般影响。最近,论者们就西方政治传统史做出了一系列出色的研究。然而就是在其中的一项研究中,我们仍然可以读到这样的说法,“就像所有伟大的社会实验一样,劳动力市场的发明也使人们付出了昂贵的代价,而其中最为重要的代价便是它导致了工人阶级物质生活水平的急剧下降”[7]。

在这里,我还想继续强调指出,就在我得到罗素(Bertrand Russell)所发表的一部新著的时候,上述那种观点可以说依旧支配着当时出版的畅销作品。似乎是为了确认这种观点,罗素在他所撰写的这部新著中以一种无动于衷的口吻说道:

> 工业革命无论是在英国还是在美国都导致了无法形容的灾难。我认为,任何一个研究经济史的学者都不会怀疑英国人在19世纪初期的平均幸福要比100年前低,而这种情况几乎全是由科学技术所导致的[8]。

如果说智力平平的人士相信一个有如此水准的学者所说的这番明确肯定的言论必定是正确的，那么我们很难责备他们。既然像罗素这样的人物都相信这种事情，那么我们也就没有必要对社会中存在着这样一种现象感到惊讶了，即今天出版的成千上万种小册子所阐发的各种经济史观点，在很大程度上讲，实际上都只是在传播上述那个古老的神话而已。此外，即使我们现在可以读到一本没有过分渲染众多工人群体生活状况急剧恶化之情势的历史书，从今天的情况来看，那也肯定是一个极为罕见的例外。

我们今天知道，历史的真相是工人阶级的生活状况得到了缓慢且参差不一的进步。然而，这个事实对于那些普通百姓来说却既无兴趣又没有什么轰动效应可言，因为这不过是他们习以为常的预料之中的正常事态而已。而且他们也很难想到：第一，这绝不是一种不可避免的进步；第二，在发生这种进步以前的数个世纪中，最贫困者的地位实际上毫无变化可言；第三，从数代人的经验来看，唯有凭靠那种在今天仍然被他们视作是贫困者悲惨命运之根源的制度，我们才能够指望我们的生活会得到持续不断的改进。

论者们有关现代工业的兴起对工人阶级的影响所进行的讨论，几乎总是指向 19 世纪上半叶的英国状况。然而值得我们注意的是，这些讨论所指涉的那场巨大的变革实际上在很早以前就开始启动了。到 19 世纪上半叶，那场巨大的变革已经经历了一段相当长的时间，而且波及的范围也远远超出了英国。那种被证明对英国财富增长起过重大推进作用的经济活动自由，起初很可能只是 17 世纪革命施加于政府权力之上的一系列限制的一个偶然的副产品；只是在这种经济活动自由所产生的有益影响渐渐得到人们的广泛注意以后，经济学家们才开始解释这种自由与财富增长之间的关系，并且主张否弃当时仍在起作用的阻碍贸易自由的其他措施。从许多方面来看，那种把“资本主义”视作是一种只是到了18世纪末才突然出现的史无前例的崭新制度的看法，有着很大的误导作用。我们之所以在这里使用“资本主义”这个术语，乃是因为它是人们最为熟悉的一种称谓，但是必须指出的是，尽管如此，我们仍是极不情愿使用这个术语的，因为从它所具有的现代含义来看，它本身在很大程度上就是唯社会论者对我们所关注的那段经济历史所做的解释的一种杜撰物。一如我们所知，有一种观点认为，无财产的无产阶级之所以会产生，乃是因为另外一些人用某种不正当的手段剥夺了他们对他们的劳动工具的合法所有权。因此，当论者们把“资本主义”这个术语与这种观点联系在一起的时候（实际情形往往就是如此），这个术语的误导作用就更大了。

有关资本主义与无产阶级出现之间的关系的历史真相，几乎与那些强调劳动大众的财产所有权被剥夺的理论所意指的情形完全相反。实际情况是，在大部分历史期间当中，对于大多数人来说，拥有自己的劳动工具乃是他们生存的一个必要条件，至少是他们能够维持家庭生计的一个必要条件。那些能够通过为别人工作而维持自己生计的人（尽管他们本身并不拥有必要的工具），只占当时人口中的一个很小的比例。在当时的情况下，那些可以被代代相传的可耕地及工具的数量，也限制了有能力生存下去的人口总数，而不拥有可耕地及工具的人在大多数情况下则意味着饿死或无法生养后代。只要雇佣额外人手的好处主要限于这样的情形之中——亦即任务的分工提高了工具所有者的工作效率的那些情形，那么我们就可以说，一代人既没有动力也不可能去积累原本有可能使更多的下一代人得到存活的额外工具。只有当人们从机器的使用过程中所取得的较多收益为他们的投资提供了良机和资料的时候，那些在过去注定会早逝的剩余人口才获得了越来越多的存活可能性。而且也正是在这个时候，在数个世纪中实际上一直处于停滞状态的人口数量，才开始急剧增加。因此，那些能够被认为是资本主义“创造出来”的无产者，并不是那些没有资本主义也可以存活的人的一部分，也不是那些因为资本主义的出现而降低了生活水平的人的一部分。他们实是一些能够凭靠资本主义所提供的种种新的就业机会而成长起来的额外的人口。如果说真的是资本的增长使得无产阶级的出现具有了可能性，那么这只能在这个意义上说得通，即它提高了劳动生产力，从而使得更多的人都能够在没有从他们的父母那里得到必要工具的情况下仅凭靠他们自己的劳动而养活自己。但是需要指出的是，在那些有能力维持生存的人在此后把分享资方所有权作为他们的一项权利加以主张以前，资方必须首先得到满足。的确，一些人把他们的所得大规模地用来提供新的生产工具以供那些在没有这些工具的情况下便无力维持生计的人去使用，肯定不是因为他们的慈善心所致，而是他们发现这样做会对他们有利。但是无论如何，这种情形仍是史无前例的。

有关现代工业的兴起对人口增长的影响，统计数据给出了一种极为明确的说明。尽管这种情况本身就可以在很大程度上驳倒那种认为工厂制度的发展给大众带来了有害影响的观点，但是这却不是我们在这里予以关注的要点。实际上，我们只需要指出这样一个事实也就足够了，即只要产出达到一定水平的工厂数量的增长完全导致了相应的人口增长，那么无论平均生活水平提高了多少，最贫困的人口的生活水平也不可能得到实质性的改善。与此紧密相关的要点是，在那段所谓的工人地位蒙遭严重恶化的时期到来以前，英国的人口增长尤其是制造业人口的增长已经持续了至少有两三代人的时间了。

这里所指的那段时期，同时也是工人阶级的地位问题首次受到人们普遍关注之时。值得我们注意的是，当时一些人士的观点实际上构成了目前所流行的一些信念的主要渊源。因此，我们所要提的第一个问题肯定是这样一个问题，即当时的人们怎么会广泛产生这样一种与事实相反的印象？

显而易见，主要的一个原因是人们越来越清楚地意识到了一些他们在此前不曾注意就悄悄逝去的事实。当时，生活水平的提高和财富的增长，也提高了人们的期望值和要求。那种在很长时间里一直被视作是自然且无从避免的情形，甚或是对过去的情形所做的一种改善，后来却渐渐地被认为是与新时代所提供的机会不相符合的。由于总财富的增长在那个时候要比以往任何时候都快，所以经济方面的贫困现象不仅变得越发凸显了，而且也变得越发没有道理可言了。但是显而易见的是，这种情形却不能够证明那些命运开始让人感到惊恐和愤慨的人的生活要比他们的父辈和祖辈的生活更加悲惨。尽管有确凿的证据可以证明当时的社会中存在着悲惨的生活，但是却没有一个证据可以证明当时的情形要比过去的生活更加悲惨甚或与过去的生活一样悲惨。产业工人所聚居的大量廉价简陋的房屋很可能要比农民和家庭作坊者在此前所居住的景色相当不错的村舍更简陋也更糟糕，而且与早些时候散居于乡村的那些贫困者相比较，这些产业工人也肯定会令地主或城市显贵更感到惊恐，但是，对于那些从乡村迁入城镇的人来说，这却意味着一种改善。此外，尽管工业中心的迅速发展导致了卫生和健康问题——人们不得不经由一个长期且痛苦的学习过程以应对这些问题，但是有关的统计数据却明确地表明，即使是人们的一般健康状况，在总体上讲也是得到了改善而不是受到了损害[9]。

然而，就解释人们在看待工业化影响的时候为什么会发生从乐观转向悲观这种变化而言,一个要比上述社会意识的觉醒更为重要的因素很可能是这样一个事实,即这种认识立场的转变并不是出现在那些直接了解当时情况的工业地区,而是始于英国大都市的政治讨论当中——然而我们知道,这种大都市实际上不仅与那些新发展的地区相距甚远,而且也甚少参与这种新发展。显见不争的是,19 世纪三四十年代的时候,伦敦和英国南部的上层社会人士都普遍认为,英国中部和北部的制造业工人的一般生活条件十分“恶劣”。这便是土地贵族阶层在当时用以反击制造商或工厂主鼓动人们反对“谷物法”(Corn Laws)和支持自由贸易的做法的重要理据之一。实际上,正是从保守派报纸所传播的上述那些理据中,当时对工业地区的真实情况知之甚少的激进知识分子推论出了他们的观点,而这些观点居然在后来变成了权威性的政治宣传武器。

我们可以肯定地说,这种立场实是人们在此后乃至当今相信工业发展对工人阶级造成恶劣影响的根源。一位伦敦女士库克·泰勒夫人(Mrs. Cooke Taylor)在第一次参观兰开夏郡(Lancashire)的某些工业地区以后于1843 年左右写的一封信,可以说很好地揭露了这种观点。她在描述她在那些工业地区的所见所闻之前,先对伦敦当时的一般舆论状况做了一番简要的评论:

> 我实在不想再提报纸中所发表的有关工人悲惨境况以及他们雇主施暴情形的报道了,因为就是这些报道在当时对我产生了很大的影响,致使我在同意去兰开夏的时候极感勉强。实际上,这方面的误传相当普遍,而且人们也是在根本不了解事实的情况下盲目相信那些报道的。比如说:就在我要动身去兰开夏以前,我参加

了在伦敦西区*举办的一个大型晚宴，坐在一位被认为极具智慧并极富知识的绅士的旁边。在交谈的过程中，我提到了我即将去兰开夏的事情。他双目圆睁，盯着我问道："天哪！无论如何我都不会到那个地方去的。这使我立刻就想到了要去圣吉尔斯(St. Giles)一般，那是个恐怖的地方，遍地都是工厂，那里的人饱受饥饿、蒙受压迫和过度工作，几乎都不像人了，而工厂主们则是一群贪食肥胖、娇养奢侈的人，他们完全以工人的血汗为生。"我回答道，这确实是一种可怕的情形并且问道："你是在哪里看到这种悲惨情形的呢?"他回答说："我从来没有**亲眼见过**，但**有人告诉**我这种情况是存在的。从我本人来讲，我从来就没有去过工业地区，而且将来也绝不会去。"这位绅士就是无数从来不问情况是否属实就散布谣言的人当中的一个人[10]。

库克·泰勒夫人详尽地描述了她亲眼所见的令其感到惊讶且令人感到满意的情形，并在这段描述的结尾写下了这样一段文字：

> 我在那里亲眼看见了工厂工人的工作情况，在小屋里的生活状况以及在学校里的学习情况。因此，我实在不知道该如何解释长期以来一直在猛烈抨击那些情形的不实报道。与许多其他的劳动阶层相比较，那里的工人们不仅衣食好得多，而且行为举止也要好得多[11]。

但是需要指出的是，即使那种后来被历史学家广泛持有的观点在当时

* 伦敦西区是富人聚集区，而伦敦东区则是穷人聚集区。——邓正来注

只是为一个党派所信奉，那么这里仍存有一个问题需要解释，即为什么那种在当时只是一个党派的观点——既非激进党派的观点亦非自由党派的观点，而是托利党派的一个观点——居然成了19世纪下半叶经济史学家几乎没有争议的一个观点。情势之所以发展至此，似乎是因为这样一个事实所致，即人们后来对经济史所产生的兴趣，本身就是与他们对唯社会论的兴趣紧密联系在一起的。此外，在起初的时候，大多数致力于经济史研究的人也都是些倾向于唯社会论的人。毋庸置疑的是，“唯物主义历史观”在很大程度上推动了经济史的研究；但是事情并非如此简单。实际上，所有的唯社会论学派都信奉这样一种历史哲学，亦即旨在说明不同经济制度所具有的相对特性以及不同经济制度在时间上前后相继之必然性的那种历史哲学。他们都试图证明这样一个问题，即他们所抨击的制度——生产资料私有财产权制度（the system of private property in the means of production），乃是对一种更古老且更为自然的共有财产权制度的破坏和扭曲；再者，由于指导他们思想的那些理论预设假定，资本主义的兴起必定会侵害工人阶级的利益，所以依据那些理论预设，他们找到了他们所要寻找的东西。这一点绝不会令人感到惊讶。

从许多方面来看，一些学者是有意识地把经济历史研究当做政治动员工具的论据。当然不只是他们，实际上还有许多真诚地认为自己是在不带偏见地探寻事实的学者，也都得出了偏见色彩极浓的结论。这在部分上是由这样一个事实所导致的，即他们所采纳的那种“历史认识进路”（historical approach）本身就被视作是一种对古典经济学理论分析的彻底反动，因为在他们看来，古典经济学的理论分析对那些救济当下不满状况的一般性措施所做的判断往往是不受人欢迎的[12]。我们可以说，当时发生下述两种情形绝不是偶然的:第一,德国历史学派(the German Historical School),作为第一次世界大战以前60年中最大且最具影响力的经济史研究群体,曾经因被称为“讲坛唯社会论者”(Kathedersozialisten)而感到自豪;第二,美国的“制度学派”(the American Institutionalists),作为德国历史学派的精神继承者,在很大程度上也都具有唯社会论的倾向。这些学派中弥漫着这样一种气氛,即它要求一个年轻学者保持特别独立的头脑,不屈从于任何学术观点的压力。在当时那种情形中,一个学者被指责为资本主义制度的“辩护士”是最可怕的,而且对他的学术前景的危害也是最为致命的;再者,即使一个学者敢于同人们在某个特定问题上所持的主流观点唱反调,他也要小心翼翼地通过赞同人们对资本主义制度所做的一般性批判这种方式来保护自己,以免被指责为资本主义制度的“辩护士”[13]。把现行的经济秩序只视作是一个“历史阶段”并且有能力根据“历史发展的规律”预测出未来会出现的一个更好的制度,成了当时人们所认为的真正的科学精神的标志。

实际上,早期经济史学家严重歪曲事实的做法,在很大程度上都直接源出于这样一种相当真诚的努力,亦即试图抛开任何理论前设去看待事实的那种努力。那种认为人们不运用一种理论便能够探明任何事件之因果关系的观点,或者那种认为这样一种理论可以经由积累足够数量的事实而自动产生的观点,当然是一种十足的幻想。特别需要指出的是,社会事件的复杂性决定了这样一点,即如果没有一种系统理论所提供的分析工具的帮助,那么人们几乎肯定会曲解这些社会事件。此外,那些故意不采用一种明确且经过推敲的逻辑论证的人,通常只会成为他们那个时代的流行信念的牺牲品。在这个领域当中,常识乃是一种极不可靠的向导,而且那些看似“显而易见”的解释也往往只是一些被人们普遍接受的迷信而已。比如说,机器的采用会普遍减少对劳动力的需求。这个解释看似显而易见,但是,只要我们坚持对这个问题做认真的思考,那么我们最终便会发现,这种观点实是一种逻辑谬误的结果,亦即强调那种假定的变化中的一种作用而忽略不计它所具有的其他作用的结果;再者,事实也无法给予这种信念以任何支撑。然而,任何对此信以为真的人,却极可能找到那些在他们看来可以为此提供证明的证据。在19世纪初期,人们特别容易发现极端贫困的事例,因此也特别容易得出这样的结论,即这一定是采用机器所导致的结果,而根本不会去追问此前的状况是更好甚或更糟这样的问题。再比如说,人们也会相信,产量的增加必定会使出售全部这些商品变得不可能,因此,当他们发现产品滞销的时候,他们就会把这种情况视作是对他们预料之事的一种确证,尽管在这个问题上存在着若干比"生产过剩"(overproduction)或"消费不足"(underconsumption)这种笼而统之的解释更令人信服的解释。

毋庸置疑,在这些曲解事实的解释当中,有许多是人们善意提出的,而且我们也没有理由不尊重那些为了唤起公众良知而把穷人的悲惨境遇描述得特别阴暗的人的动机。再者,正是由于这类观点的宣传和鼓动迫使人们去直面一些他们原本不愿意面对的令人不快的事实,公共政策当中才产生了一些最有助益的和最慷慨的举措,例如,废除奴隶制的举措,取消进口食品税的举措,以及根除许多根深蒂固的特权及滥用权力的做法的举措。当然,我们也有充分的理由牢记大多数人的生活在100年或150年前依旧很悲惨。但是需要强调的是,在这种情况过去了很长一段时间以后,我们却绝不能允许任何人用歪曲事实的做法——即使是出于人道主义精神——去影响我们对我们因拥有这样一种制度(亦即那种使人们感到这种悲惨生活完全有可能得到避免的史无前例的制度)而达致的状况的看法。工人阶级所提出的那些要求和愿望,不论在过去还是在今天都是他们的生活境况得到大幅度改善所导致的结果——而所有这一切都是资本主义制度所促成的。毋庸置疑,过去有许多享有特权地位的人,他们居然有权力通过阻止其他人把生意做得更好这种方式而确使自己获得一份相当可观的收入。但是需要指出的是,正是自由企业制度的发展,才摧毁了这种特权。当然,一些人之所以强烈反对现代工业制度的发展,还有着各种各样的其他理由。比如说,一些被享有特权的上层阶级视作是极为重要的审美价值和道德价值,无疑因现代工业制度的发展而受到了威胁;再者,一些人甚至还提出了这样的问题,即人口的迅速增加,换言之,婴儿死亡率的降低,是否是一种福音呢?但是值得注意的是,如果我们把它对众多辛苦谋生的人的生活水平的影响作为我们的检测对象的话,那么我们无疑能够发现,它的影响使他们的生活水平产生了一种普遍向上提升的趋势。

只有当新一代经济史学家不再把他们自己视作是经济学的反对者(亦即力图证明经济学家在此之前一直是错误的论者)而本身就是训练有素的致力于经济演化研究的经济学家的时候,学者们才可能承认上述事实。然而值得我们注意的是,现代经济史学早在一个世代以前就大体确证的那些结果,却在专业圈子以外几乎没有得到任何承认。事实证明,在这种情形中,那些研究成果最终变成公共财富的进程要比在其他情形中缓慢得多[14]。因为我们知道,这个方面的新成果并不是那种因迎合知识分子的普遍偏见而令他们渴望获得的知识;相反,这些新成果乃是与他们的一般信念相冲突的知识。然而,如果说我们对错误观点在营建政治意见过程中发挥了重要作用这一点所做的估计是正确的,那么我们就应当即刻用真相去取代那种长期以来一直支配着公众信念的传说。正是在一种确信早就该进行这种修正工作的信念的推动下，本次大会的日程安排才确定了要对这个议题展开讨论，而本书发表的前三篇论文最初就是在这次大会上宣读的。当然，也正是在上述信念的推动下，本书的编者们后来才决定要把这些论文编辑成册发表出来，以使更多的人士认识到这个问题。

承认工人阶级作为一个整体从现代工业的兴起中获益匪浅，当然是与这样一个事实相容合的，即工人阶级以及其他阶层当中的一些个人或一些群体有可能因这种发展的结果而蒙受暂时的贫苦。一如我们所知，这种新秩序意味着变化迅猛，因此，财富的迅速增长在很大程度上是人们加速适应这种使财富增长成为可能的变化的结果。在那些领域中，亦即在高度竞争的市场的流动性变得相当有效的那些领域中，机会的日益增加显然弥补了特定工作所具有的较大的不稳定性。但是需要指出的是，这种新秩序的扩展是渐进的且不平衡的。无论是在过去还是在今天，始终会存在一些孤立且封闭的小地区。当它们的产品完全受制于市场之兴衰的时候，它们却因为太孤立且太封闭而无法从市场为其他地方所提供的各种机会中获得诸多收益。众所周知，老工艺因被机械流程所取代而走向衰败的事例，可以说是比比皆是（在这个方面，手织机工人的命运一直是论者们征引的一个经典事例）。但是，即使在那种领域中，人们也同样无法确定：由现代发展导致的困苦是否比得上那些地区在资本主义大幅度提高商品和资本的流动以前因连年歉收所导致的那种困苦。对一个欣欣向荣的社会中的某个小群体所形成的冲击，很可能会被认为是一种不公正或一种挑战，而不是此前那种被视作是必然命运的普遍困苦。

对生活困苦之真正根源的认识，乃至对尽可能救济这些困苦的方式的了解，实是以人们能够比大多数此前的历史学家更好地理解市场制度的运作和作用为前提的。对资本主义制度所做的诸多指责,实际上所指涉的都是些前资本主义社会特征的残余物或再生物。比如说,一些人所批判的垄断性因素,实际上是政府行动未受严格限制所导致的直接后果,或者是人们没有理解一个运转良好的竞争秩序需要有一个适当的法律框架作为支撑这个道理而导致的后果。我们业已指出了资本主义通常蒙遭谴责的某些特征和趋势,然而需要强调指出的是,这些特征和趋势实际上却是因为不容资本主义的基本机制发挥作用而导致的结果。此外,特别需要指出的是,有关垄断为什么以及在多大程度上会妨碍市场机制有益运作的问题,对于我们来说实是一个大问题,因此,我们不可能在这里对它做更为详尽的讨论。

我所撰写的这篇导论只是旨在指出读者在理解本书所载论文所做的那种较为具体的讨论的时候必须依凭的一般性语境。尽管这种性质的导论难免会失之笼统,但是我相信这些论文的具体研究会通过它们对各自特定问题的非常具体的讨论而使这种情况得到改善。由于这些具体研究的目的是要为他们所启动的这场讨论提供一个事实性的基础,所以它们所论涉的还只是一个更为宽泛论题当中的一个部分。就这个论题而言,我们至少可以提出这样三个紧密相关的问题:第一,当时的事实究竟是什么?第二,历史学家是如何描述它们的?第三,历史学家为什么要这样描述它们?在这三个相关的问题当中,这些具体研究主要讨论的是第一个问题,而只是在一定的程度上牵涉到第二个问题。唯有尤弗内尔(M. de Jouvenel)所撰写的论文有所不同,因为它主要讨论的是上述第三个问题,而且在讨论的过程中,尤弗内尔还提出了一些较为复杂的问题,其复杂程度甚至超出了本文扼要阐释的那些问题的复杂性。

【注释】

[1] Herbert Butterfield, *The Englishman and His History* (Cambridge: Cambridge University Press, 1944), p. 3.

[2]同上, p. 7。

[3]参见 M. Dorothy George, "The Combination Laws Reconsidered", *Economic History* (supplement to the *Economic Journal*), I (May 1927), 214 ~ 228; W. H. Hutt, *The Theory of Collective Bargaining* (London: P. S. King & Son, 1930) and *Economists and the Public* (London: J. Cape, 1936); L. C. Robbins, *The Economic Basis of Class Conflict* (London: Macmillan & Co., 1939) and *The Economic Causes of War* (London: J. Cape, 1939); Walter Sulzbach, *Capitalistic Warmongers: A Modern Superstition* ("Public Policy Pamphlets", No. 35, Chicago: University of Chicago Press, 1942); G. J. Stigler, "Competition in the United States", in *Five Lectures on Economic Problems* (London and New York: Longmans, Green & Co., 1949); G. Warren Nutter, *The Extent of Enterprise Monopoly in the United States*, 1899 ~ 1939 (Chicago: University of Chicago Press, 1951);有关大多数这些问题的讨论,请参见 Ludwig von Mises 的论著,尤其是他所撰写的 *Socialism*(London:J. Cape,1936).

[4] Guido de Ruggiero, *Storia del liberalismo europeo* (Bari, 1925), trans. R. C. Collingwood under the rifle *The History of European Liberalism* (London: Oxford University Press,1927),p. 47,esp. p. 85. 颇为有趣的是,Ruggiero 似乎主要是从另外一位被认为是自由主义的历史学家 Elie Halévy 的论著中得到那些事实的,尽管 Halévy 从来没有以这样一种赤裸裸的方式描述过它们。

[5] J. H. Clapham,*An Economic History of Modem Britain*(Cambridge,1926),I,7.

[6] J. L. and Barbara Hammond, *The Bleak Age* (1934) (rev. ed., London: Pelican

Books,1947),p. 15.

[7] Frederick Watkins, *The Political Tradition of the West* (Cambridge, Mass.: Harvard University Press,1948),p. 213.

[8] Bertrand Russell, *The Impact of Science On Society* (New York: Columbia University Press,1951),pp. 19 ~ 20.

[9]参见 M. C. Buer, *Health, Wealth and Population in the Early Days of the Industrial Revolution* (London: G. Routledge & Sons,1926).

[10]这封信征引自"Reuben", *A Brief History of the Rise and Progress of the Anti Corn-Law League* [London(1845)]库克·泰勒夫人可能是激进分子库克·泰勒博士的妻子,她访问了位于与波尔顿相邻的 Turton 的 Henry Ashworth 工厂。当时,那个地区还是一个农业地区,因此很可能要比某些城市工业地区更加吸引人。

[11]同上。

[12]仅仅作为对那种学派的一般性态度的一种说明,我们也许可以征引该学派一位最为著名的代表人物 Adolf Held 所做的一段极为典型的陈述。根据他的观点,正是经由大卫·李嘉图的手,"正统经济学变成了独占性的流动资本利益群体的驯服的仆人",而且他的地租理论"也干脆变成了充满仇恨的资本家用以反对地主的武器"(*Zwei Bücher zur socialen Geschicbte Englands*, Leipzig: Duncker & Hmnblot,1881,p. 178)。

[13]Ludwig Pohle 对那种普遍存在于由经济学家组成的德国历史学派中的政治氛围做出了极为精彩的说明,请参见:*Die gegenw artige Krise in der deutscben Volkswirtschafislebre* (Leipzing,1911)。

[14]关于这个问题,请参见拙文:"The Intellectuals and Socialism", *University of Chicago Law Review*, Vol. XVI(1949),并且重印于本书的第十二篇。

自由与交流[*][**]

——"朝圣山学社"首次大会开幕词

我必须承认，当我期盼已久的时刻终于到来的时候，我对与会的所有代表的深深感激之情却在很大程度上因另外两种感觉而减缓了，一是对我鲁莽地启动这次会议以及其间的一切安排所产生的强烈的惊讶感；二是对我因让你们费时劳心地参与一项你们完全有可能认为是轻率的实验而承担的责任所产生的强烈的恐惧感。然而，我现在还是要向在座的诸位表达简单却真诚而又深厚的致意："谢谢。"

---

* 本文译自哈耶克著：*Studies in Philosophy, Politics and Economics*, The University of Chicago Press, 1967, pp. 148 ~ 159。

** 1947 年 4 月 1 日之前，本文不曾发表过。当时出席"朝圣山学社"首次大会的成员有：芝加哥大学的哈耶克、巴黎大学的 Maurice Allais、罗马的 Carlo Antoni、苏黎世的 Hans Barth、斯坦福大学的 Karl Brandt、纽约大学的 John Davenport、剑桥大学的 Stanley R. Dennison、芝加哥大学的 Aaron Director、弗赖堡大学的 Walter Eucken、牛津大学的 Erich Eyck、芝加哥大学的 Milton Friedman、布鲁克林大学的 U. D. Gideonse、普林斯顿大学的 F. D. Graham、纽约的 F. A. Harper、纽约大学的 Henry Hazlitt、奥斯陆大学的 T. J. B. Hoff、苏黎世大学的 Albert Hunold、Vaud 的 Bertrand de Jouvenel、哥本哈根的 Carl Iversen、曼彻斯特的 John Jewkes、芝加哥大学的 F. H. Knight、布法罗大学的 Fritz Machlup、底特律大学的 L. B. Miller、纽约大学的 Ludwig von Mises、(接下页注)

在我卸下自己一直以冒昧的方式所扮演的角色之前,在我高兴地把我在颇为有幸的情势下发起的这项工作交由你们继续推进之前,我觉得有责任向你们就那些指导我建议召开此次大会和提出大会方案的目的略做些更详细的说明*。我将努力不使你们感到厌烦。然而一如你们所知,即便是最低限度的说明,也要占用你们的一点时间。指导我做如此努力的一个基本信念是,如果那些我认为把我们团结起来的理想——就那些理想的名称而言,尽管自由这个概念已为人们过分滥用,但它仍然要比其他术语更妥切——要有任何复兴机会的话,那么就必须首先着手进行一项巨大的知识工作。这项工作关涉到两个方面的努力:一是要把某些在历史时间的过程中添附在传统自由理论上的观念从这种理论中清除出去;二是要勇敢地面对

(接上页注)华盛顿大学的 Felix Morley、曼彻斯特的 Michael Polanyi、伦敦经济学院的 Karl R. Popper、日内瓦大学的 William E. Rappard、纽约的 L. E. Read、伦敦经济学院的 Lionel Robbins、日内瓦大学的 Wilhelm Ropke、罗得岛的 George J. Stigler、斯德哥尔摩大学的 Herbert Tingsten、里昂大学的 Francois Trevoux、纽约的 V. O. Watts、伦敦经济学院的 C. V. Wedgwood(根据著名经济学家 Fritz Machlup 的回忆,当时出席"朝圣山学社"首次大会的代表有 39 名,请参见 Fritz Machlup, ed. , *Essays on Harek*, "Notes from the Editor", London: Routledge & Kegen Paul, 1977, 但是在 1994 年出版的《哈耶克论哈耶克》一书中,哈耶克则指出当时的与会者只有 36 人,亦即上面开列的名单。——邓正来注)。

* 哈耶克发起召开"朝圣山学社"大会的目的,乃是通过鼓励诸多不同学科,尤其是不同国家或地区的代表就公共的和国际的重大问题进行交流而与学术专科化或专门化取向作斗争,请参见本丛书第三辑所收入的哈耶克于 1944 年发表的《历史学家与欧洲的未来》一文。哈耶克在"朝圣山学社"第一次大会上为大会勾画出了两个核心论题:一是自由企业与竞争秩序之间的关系和自由经济政策方案的具体内容的论题;二是对反自由主义的历史决定论和历史相对主义的观点展开讨论——前者否认人的能动作用并主张一种宿命论取向,而后者除了成功的标准以外则否认任何道德标准的意义。在此次大会上,哈耶克当选为主席,并在此后的 12 年中,一直担任主席。在这一期间,"朝圣山学社"在自由主义者中的影响极盛在这一期间,(接下页注)

一些现实问题,因为这些问题是那种过分简单化的自由主义所躲避回答的问题,或者说它们是一些只有在自由主义已成为一种相当明确而又钢性的信条时才会显现出来的问题。

我相信这确是一种极为普遍的情况,而且我的观察也强有力地证实了这一点:在众多不同的领域,在世界上许多不同的国家和地区,那些在不同信仰中成长的而且党派自由主义(party liberalism)对他们也无甚吸引力的个人,为了他们自己的生活,一直都在力图重新发现自由主义的基本原则,也一直都在尝试着重构一种能够对抗那些在大多数当代人看来已然挫败了早期自由主义各种允诺的反自由主义观点的自由哲学。

在过去的两年中,我有幸走访了欧洲和美洲的几个地区,并且对我在不同地区发现的那些基本上关注同一个问题和采取极其相似进路的孤立的个人的数量感到惊讶。然而,由于他们往往是以孤立的方式或在极小的群体中进行探究,所以他们总是被迫去捍卫他们各自信仰的基本要素,而几乎没有机会就更为专门的问题进行观点交流,因为这样的问题只会在形成了某种共同的信念和思想基础的时候才有可能凸显出来。

(接上页注)“朝圣山学社”在自由主义者中的影响极盛而且成员也有了很大的扩展。在 Hunold 博士的帮助下,哈耶克几乎每年都在一个国家召开一次大会:仅根据 1947 年到 1976 年这 30 年的记载,“朝圣山学社”就在 12 个国家先后召开了 27 次会议(奥地利、比利时、法国、德国、危地马拉、意大利、日本、荷兰、英国、美国和瑞士)。的确,在“朝圣山学社”的组织工作方面,哈耶克实际上完全依赖 Hunold 博士的努力,但是后来 Hunold 博士却越来越关注其他事物,最终使哈耶克认为与他丧失了合作的可能性。正是在这种情形下,哈耶克认为有必要坚持 Hunold 博士同他一起辞职,为选择新的领导人提供空间。结果,哈耶克在 1960 年正式辞职,但同时又被选为名誉主席。著名经济学家、诺贝尔经济学奖得主弗里德曼也曾在 1970 年到 1972 年间担任该学社的主席。——邓正来按

我个人以为,只有在一些就基本原理达成共识的人士当中,只有在某些基本观念不会在每一阶段都遭质疑的人士当中,自由秩序的一般原理才有可能得到卓有成效的阐释。然而就当下的情势而言,不仅任何一个国家中就我所认为的基本的自由原则达成共识的人如此之少,而且这项任务也极为宏大艰巨,因此我们极需要尽可能广泛地采纳和审视不同情境下的经验。

对我来说,最富启示性的发现之一就是,越趋近西方,亦即越趋近自由制度依然比较稳固、信奉自由信念的人数依旧相对众多的国家,那里的人们越不真正准备对他们自己的信念进行重新考察,越倾向于做出让步或进行妥协,也越倾向于把某种他们所知道的自由社会的偶然历史形态视作一种终极标准。另一方面,我也发现,在那些直接经历过全权式政制(a totalitarian regime)的国家抑或在那些类似全权式政制的国家中,只有为数极少的人从这种经验中更为明确地认识到了自由社会赖以实现的条件和自由社会的价值。我就这些问题同不同国家的人士讨论得越多,我也就越趋于相信,智慧并不总是掌握在某些人手里的。而且对一个文明真实衰败过程的考察为欧洲大陆上一些勤于独立思考的思想家所提供的诸多教训,我个人以为,英国和美国也必须接受,如果这些国家想避免蒙受同样厄运的话。

不同国家的经济学和政治学研究人员,不仅可以从彼此的观点和经验中获益甚丰,而且通过跨国界的联合,还能在推进他们的共同事业方面大有作为。我也同样对这样一个事实具有了深刻的认识:如果一位经济学家与一位历史学家,或者一位法学家与一位政治哲学家信奉某些共同的前提,并对我们这个时代的重大问题展开讨论,那么他们间的探讨所能取得的成就,就要比那些对这些基本价值颇具分歧的同一学科的研究者之间的讨论所能获得的成就大得多。当然,一门政治哲学永远不可能只以经济学为基础,也永远不可能主要从经济学的角度加以表述。我们所面临的危险似乎是一场知识运动所导致的结果,这场知识运动在人类事务的各个方面都有所表现,而且还影响到了人们针对这些事务的态度。然而,尽管在我们每个人自己的研究领域内,我们可能已学会了如何辨识那些构成导向全权主义政制的那项运动之重要组成部分的诸多信念,但是我们并不能确信,在我们这个时代的氛围的影响下,我们——比如作为经济学家——是否会像其他论者一样未经批判就接受那些来自历史学、哲学、伦理学或法学领域的某些思想,而后者恰恰是我们原本在我们自己的研究领域中予以反对的那个思想体系的重要组成部分。

在我看来,由这些不同题域的代表召开一次国际学术会议尤为必要,因为第二次世界大战不仅长时间地破坏了不同题域的许多正常的联系,而且不可避免地,在我们大多数人中间,造成了一种自我中心主义和民族主义的世界观,而这种自我中心主义和民族主义世界观却是同解决我们这个时代问题的一种真正的自由主义取向背道而驰的。最为糟糕的是,第二次世界大战及其后果还为恢复国家间的交流和联系增添了诸多新的障碍,而这些障碍对于那些深受战争灾难的国家的学者来说如果没有国外的帮助实际上依然难以克服,即使对于我们这些人来说也影响深重。显而易见,我们似有充分的理由建立某种组织,以有助于重新开放种种使那些持有某种共同世界观的人们之间得以进行交流的通道*。就此而言,除非成立的是某种私人

---

* 哈耶克的这个想法,实际上是以另一个重要事件为基础的,这就是1938年由Louis Rougier在巴黎组织的“W. Lippmann讨论会”。该讨论会主要围绕着Lippmann于1937年出版的《善社会》(*The Good Society*)一书中的主题进行了讨论,而最主要的问题背景就是欧洲自由主义的危机。出席此次会议的学者当中包括了Lippmann、雷蒙·阿隆、Jacques Rueff、Wilhelm Ropke、米塞斯和哈耶克(接下页注)

组织,否则就会出现严重的危险,因为跨国界的联系会日益为那些同现政府或政治机器具有这种或那种联系的人所垄断,而且也注定会服务于处于支配地位的意识形态。

显而易见,欲建立这样一种常设性的组织,就必须先召开某种预备会议,以检验这种设想是否可能成功。但是,在今天的情势下,如果没有相当数量的资金,欲建立这样一种常设性的组织似乎也无甚可能。尽管我本人对此无能为力,但我的确就这项计划同所有愿意关注此一设想的人士进行了交谈,后来令我感到惊喜的是,一件幸运的偶然事件使这一设想具有了可能性。在座的我们的一位瑞士朋友,Hunold 博士,曾经为一个与我的设想性质相同但却有所差异的项目筹措了一笔资金,但是这个项目却因意外事件而被迫放弃。后来,是他成功地说服了资金捐赠者将这笔资金转投到我们这个新的目标上来。

正是在这样一个极为难得的机会出现的时候,我才完全意识到了我所承担的责任的性质,而且如果我不想失去这次机会,那么我就必须要着手组织这次会议,而最糟糕的是要决定谁应当成为被邀请的对象。诸位可能会对这项工作所具有的棘手程度和令人为难的性质保有同情性理解,因此我也就没有必要对我实施这项任务的方式再向你们一一道歉了。

就此而论,只有一点是我应当给出解释的:我是这样看待我们的任务的,即我们这些人应当持有那些通常被视为“合情合理的”观点这还不够。

(接上页注)等大牌学者。在这次会议当中,代表们主张成立一个组织,而 Lippmann、哈耶克和 Ropke 三人则承担了分别在美国、英国和瑞士成立这个新组织的分会的任务。尽管这个计划后来因战争的爆发而流产了,但是却对哈耶克产生成立一个像“朝圣山学社”这样的国际性自由主义学社的想法有着极重大的影响。——邓正来按那种坚信一种仅源自传统的传统信条的老自由主义者，不论他的观点多么值得钦佩，对我们的目标来说都无甚助益。我们所需要的是这样一些人士，他们能够直面来自于反自由主义阵营的反对观点，他们同这些论点作斗争且努力达到一种立场，由此他们既能批判性地回应针对这种立场的反对意见，又能证明自己观点的合理性。这种人士在数量上远少于友善的老自由主义者，而如今这样的人士更是少得可怜。但是，在我开列名单的时候，我惊喜地发现，我认为有资格划入这份名单的人在数量上远远超出了我原本期望的人数或者说远远超出了本次大会所能邀请的人数。因此，与会人员的最终选定工作在很大程度上也就不可避免的是武断的。

我深感遗憾的是，这次会议的人员构成多少有些不平衡，历史学家和政治哲学家，与出席此次会议的阵容强大的经济学家相比，人数相对较少。之所以会出现这种状况，在很大程度上是我个人的缺点所致：一部分原因是我在这个群体中的个人交往比较有限，事实上，甚至在原初被邀请的代表当中，有很大比例的非经济学家也未能到会；另一部分原因是在这个特别的关键时刻，如果我们想有机会把发展引向一个更为可欲的方向，那么经济学家或许更应当全面地意识到当下的各种危险以及我们必须加以解决的知识问题所具有的紧迫性。在这次会议成员所属国家的分配方面也同样存在着比例的失调，我特别感到遗憾的是，比利时和荷兰两个国家没有代表出席。我深信不疑，除了我自己意识到的这些缺陷之外，还存在着我自己在不知不觉中犯下的其他可能更为严重的错误，而对此，我所能做的便是祈求你们的宽容和帮助，以使我们在未来拥有一份更全面的名单，把那些我们能够期望从他们那里得到对我们的努力给予积极的且富有同情心的支持的人士都包括进来。

使我深受鼓舞的是,在我发出邀请的所有人当中,每一位被邀请的人都表达了对本次大会宗旨的支持和理解,而且也都希望能够与会。如果说仍然有许多人没有到会的话,那么这也是出于这样或那样的缘故而无法使他们分身。你们可能很想知道那些希望到会并对这次会议持理解和支持态度的人士的名单[1]。在提到那些因一时的缘故而不能同我们相聚此处的那些人士之后,我还必须提及另外一些人士,他们曾经给了我以特别的支持,但是却永远不能再与我们相聚了。事实上,我曾就这次会议的计划同两位先生进行了最为详尽的讨论,然而他们两人却都未能亲眼看到这项计划的实现。三年前,我第一次向 John Clapham 爵士在剑桥大学主持的一个小组粗略地概述了这项计划 *,他对此项计划产生了浓厚的兴趣,可是一年以后他却突然撒手而去。将近一年以前,我又就这一计划的所有细节同另一位学人进行了充分的讨论,他就是芝加哥大学的 Henry Simens,可以说他把整个一生都献给了我们所关注的那些理想和问题。可是数周以后,他即告离世了。除了这两位先生以外,我还要提及一位更年轻的学者,他也对我的计划给予了极大的关注,如果他还活着的话,我当会希望他——Etienne Mantoux——成为我们这个组织的常务秘书,因为他是这个职位的理想人选。由此你们会知道,我们这个群体甚至在初次有机会相聚之前就已经蒙受了多大的损失。如果没有这些不幸的事件,那么我也就不会孤身一人来召集这次会议。我承认,这些不幸的消息曾一度完全动摇了我继续推行此项计划的决心。但是当机会降临时,我仍觉得我有责任尽己所能来利用好这个机会。

---

* 关于哈耶克当时的观点和想法,读者可以参见本丛书第三辑所收入的哈耶克于 1944 年 2 月 28 日在 J. Clapham 爵士主持的“政治学社”的一次会议上所发表的《历史学家与欧洲的未来》一文。——邓正来注

关于我们这次会议的成员问题,还有一点应当给出简要的说明。在与会者当中,有相当一些人是为期刊撰写文章的固定作者,当然,邀请他们并不是为了报道这次会议,而我指出这点只是想说明他们拥有最佳的机会去传播我们为之献身的各种思想。但是为了使其他成员放心,我以为有必要指出,除非而且直至你们决定采取另一种态度,否则我认为这次会议应当被视为是一次私下的聚会,讨论中所谈及的一切也都应当被视作是“不得引用的”或“不许发表的”。

请允许我现在把话题转到我为这次大会所建议的会议议程上来。显而易见,这是诸位必须考虑的首务,而且也毋庸置疑,我先前寄送给诸位的和我现在进行解释的各项方案仅仅是供此次会议讨论——不论赞成与否——的建议。

在我建议此次大会予以系统考察而且大多数成员似乎也都赞成的诸多论题中,最为首要的就是所谓的“自由企业”(free enterprise)与真正的竞争秩序之间的关系的论题。我个人以为,这在很大程度上是一个最宏大的而且从某些方面看也是一个最重要的问题,因此我希望我们应当把相当一部分的讨论都集中于对这个论题的探讨。在这个题域中,最重要的是我们自己应当拥有明确的观点,并就我们希望为人们普遍接受的那种经济政策纲要达成共识。这很可能是我们大多数与会者都积极关注的一整套问题,就此而言,最为迫切需要解决的是,应当把世界上许多地区各自独立开展但却方向相似的工作串结起来或者整合在一起。这个论题实际上还会涉及无数的子问题,因为欲恰当处理这个论题,必然会关涉一种自由经济政策的整个纲领。在对一般性问题进行考察以后,诸位可能会倾向于把它分解为一些更具体的问题并交由专门的会议进行讨论。通过这种方式,我们或许能有机会讨论我在寄给你们的一份通函中所提到的一个或更多的其他论题,或者我们或许能有机会进一步讨论诸如通胀性高压经济(the inflationary high-pressure economy)这类问题——当下,这类经济形式已经成为把集体主义发展方式强加给大多数国家头上的主要工具,而在座的与会者当中,已有不止一位成员正确地指出了这个问题。最佳的方案或许是,在我们结束对一般性问题集中讨论的一两次会议的时候,留出半小时左右的时间来决定我们有待进一步探讨的问题。我建议,我们把今天整个下午和晚上的时间都用来对这一论题做一般性的探讨,或许你们也会允许我在今天下午就这个论题多发表一些意见。当然,我已冒昧地邀请芝加哥大学的 Aaron Director 教授、弗赖堡大学的 Walter Eucken 教授和巴黎大学的 Allais 教授就这一论题先展开争论,而我相信他们的争论会给我们随后的讨论提供足够多的问题。

尽管经济秩序原理这个问题极为重要,但是我们仍有相当多的理由希望在大会的前半部分安排一些时间来讨论一些其他的论题。我们或许会一致同意,我们所面临的政治和社会危机的根源并不纯粹是经济性的;我们或许也会一致同意,如果我们想保有一个自由社会,那么我们所需要修正的就不仅是那些支配了我们这一代人的严格意义上的经济概念。此外,我还相信,如果我们在大会的前半部分对所涉较为广泛的论题进行探讨,并且在我们力图进一步探讨更专门的问题或者问题的细节之前便从几个不尽相同的角度来审视我们的问题,那么这样的安排也将有助于我们更为迅速地熟悉它们。

你们很可能会同意,历史阐释和历史教育成了过去两代人当中传播有关人类事务的根本反自由的观点所依凭的主要工具之一。其间,把那些事实上已发生的所有发展都视作是历史必然发展这一伟大规律的必然结果的广为传播的宿命论,只承认成功与否这一道德标准并否定所有其他道德标准的历史相对主义,对区别于个人成就的大众运动的强调,以及在塑造我们的未来方面对物质必然性而不是理念力量的普遍强调等,所有这一切都是一个极重要且所涉范围极广的问题的不同方面。可以说,这个问题的重要性和广泛性与经济问题并无两样。我曾建议仅仅把这一广泛题域的一个方面(但却应当是一个会把我们迅速引入到更宽泛的问题的方面),即编史工作与政治教育之间的关系作为本次会议的一个独立的论题进行讨论。我非常高兴 Wedgwood 女士和 Antoni 教授同意先行对这个问题展开讨论。

我认为,至关重要的是,我们应当充分认识到,当下盛行的自由主义信条(与英国相比,欧洲大陆和美国更是如此)中包含了许多要素。这些要素一方面往往会把它的信奉者直接转化成社会主义或民族主义的信徒,而另一方面则会遭到许多信奉个人自由的基本价值但却厌恶过分理性主义的人士的反对。当然,这些人士之所以厌恶过分的理性主义,乃是因为这种理性主义除了承认其功效能为个人理性予以展示的那些价值以外不承认任何其他价值(因为终极目的从不展示这种功效),也是因为它假定科学不仅能够告诉我们实然的问题,而且还能够告诉我们应然的问题。我个人认为,这种在法国大革命中积聚了影响力并在过去 100 年中主要通过实证主义和黑格尔主义这两个孪生运动而发生作用的伪理性主义,是一种知识自负的表现;与它正相反对的是知识谦卑,而后者则是这样一种真自由主义的精髓和实质。它以崇敬的态度来看待那些自生自发的社会力量,正是通过那些社会力量,个人得以创造出比他所知道的更伟大的东西。就是这种不容异己而又苛刻无理的理性主义,要对那种往往把教徒(尤其是欧洲大陆的教徒)同自由运动严格隔离开来进而把他们推进他们并无归属感的反动阵营之中的鸿沟负主要责任。我相信,除非这条横在真自由主义与宗教信仰二者之间的鸿沟能够被填平，否则自由力量的复兴是无甚希望的。在欧洲，有许多迹象表明，这二者之间的关系在当今要比过去很长一段时间更缓和，而且许多人也从中看到了西方文明的理想得以保有和维续的希望。正是由于这个缘故，我特别急于想把自由主义与基督教之间的关系问题作为我们讨论的独立论题之一；尽管我们不可能期望仅一次会议就能对这一论题做深入的探讨。但是我以为，我们能够立场鲜明地直面这个问题，乃是要害之所在。

我建议进行讨论的另外两个论题，乃是如何把我们的原理运用于我们时代之难题的实践问题，而不是关于这些原理本身的问题。但是，在我看来，德国的前途以及欧联邦的可能性及其前景这两个问题，都是迫在眉睫的大问题，因此所有由政治学学者所组成的国际组织在聚会时都会考虑它们，即便我们只能希望通过观点的交流而对这两个问题略看得清楚一点。当下舆论对这两个问题的看法构成了对它们展开妥切讨论的巨大障碍，而我以为，勇于面对和思考这两个问题便是我们与会者的职责所在。它的复杂性已体现在我所遇到的最大的困难之中，即说服与会者首先就这两个论题展开讨论时所遇到的困难。

我原本希望此次大会也能对另一个论题展开讨论，因为在我看来，它构成了我们所关注的问题的核心，这就是法治的意义及其条件问题。然而事实上，我并没有向你们提出这个建议，这是因为要对这个问题进行适当的讨论，我们就必须进一步扩大我们这次大会的代表人数以把法学家包括在内。这在很大程度上又是因为我个人知识的不足而妨碍了这一想法的实现，而我之所以提出这个问题，在很大程度上则是为了表明，在一个常设性组织中，如果我们想要充分地对我们任务的各个不同方面进行探讨，那么我们就必须扩大我们的成员网络。但是，我所建议的会议方案仅对这一次大会来说很可能已是负担相当过重了。关于这次会议方案的问题，我先谈到这里，下面请允许我就另外一两个我应当给出简单评议的问题说几句话。

首先，就本次大会的正式组织而言，我认为我们没有必要为如何建立一个精致的机构而大伤脑筋。实际上，我们无法再找到比 Rappard 教授更有资格的人来担任我们第一次会议的主持人了，我确信你们也会允许我代表你们对他同意担任这项工作表示感谢。但是，我们不应期望他一个人或者任何其他一个人来承担整个大会期间的主持工作，因为这会使它变成一种负担。最妥当的安排或许是由大家轮流来承担这项工作，而且如果你们同意的话，我们就把选择下几轮会议主持人的问题作为第一轮会议要讨论的一个内容。如果第一轮会议能够至少就整个大会的前半部分的方案达成共识的话，那么我们就只需要考虑后半部分的日程安排了，而对于这项工作，我已建议在下周一晚上召开一次特别会议对它进行专门讨论。当然，我们在这次大会上再成立一个五六个人的常务委员会，由它去处理我们即将讨论的方案中的所有细节问题或者在情势适宜的时候做出可欲的调整，也很可能是一种明智的做法。诸位也许还可能认为有必要任命一名大会秘书，或者两名秘书可能更好些，一位负责大会的方案，另一位则负责大会的总体部署。我相信，在大会的这个阶段把这些问题定下来，能够确使我们大会的议程得到有效的调整。

关于组织问题，我认为很可能还有一点值得我们注意。当然，我认为应当把有关我们讨论的议程安排记录下来。但是，对我们的讨论进行速记的问题，我们不但未作安排，而且看来也不可行。除了技术上的困难以外，这还会有损我们讨论所具有的那种私下和非正式的性质。但是我希望，与会人员能对自己的一些重要观点做些记录，以便在大会决定以某种书面的形式呈现它的主要成果时，你们能够很容易地就将自己发言的精髓变成文本形式。

大会还存在一个工作语言的问题。在我起初与诸位的通信联系中，我就私下认为，所有的与会人员都熟悉英文，而现实情况表明我们中的大多数人的确都熟悉英语，那么大会主要的工作语言是英文的话，也将极大地促进我们的思考。就此而言，我们不像官方的国际结构那般幸运，因为它们控制着一大批各种语言的译员。因此我认为，大会的原则应当是，每个成员应当使用那种有望使自己的发言内容为尽可能多的与会成员了解的语言。

本次大会的直接目标，当然是为了替在世界不同地区正为相同理想进行奋斗的、在数量上相对微不足道的一些人提供一次机会，以便他们相互认识，从相互的经验中获益，或许也可以相互鼓励。我深信，在这 10 天的会议结束之时，如果大会只实现了这个目标，你们也还是会认为这次聚会是非常有价值的。但是我更希望，这次尝试性的合作能够很成功，以使我们想以这样或那样的方式继续我们的这种合作。

不论与我们总体看法相同的人员的总数多么少，但是在他们当中，与出席这次大会的与会人员相比，当然还有许多对我所勾画的问题给予了积极关注的才能更高的学者。我本人就可以列出一份两倍或三倍于此的名单，而且从我得到的建议来看，毋庸置疑，我们这些人能够毫不费力地就开列出一份好几百人的名单，他（她）们虽说生活在不同国家，但却信奉与我们相同的一般性信仰并且愿意为之奋斗。我希望大会经由相当精心的选择而能够开列出这样一份名单，并为他们相互之间能进行持续交流和联络设想出一些办法。我放在桌上的是这份名单的初稿，我希望你们尽量把你们认为合适的人员的名字补充进去，并在你们所希望支持的其他建议性名单后面签上你们的大名,而且如果你们认为这份名单上的某个人不宜成为一个常设性组织的成员的话,也可以在私下告诉我。除非某个人获得了我们在座的两三个人的支持,否则他就可能不应当被包括在内。在大会的晚些时候,成立一个小调查委员会以提出最终的名单,也不失为一种可欲的办法。我认为,所有应邀参加这次大会但未能与会的人士,理所当然应成为这份名单上的成员。

定期交流和联络当然可以有很多种形式。当我在一份寄给诸位的通函中使用了一个多少有点夸张的术语即“政治哲学的国际院”(International Academy for Political Philosophy)时,通过使用“院”这个术语,我想强调的乃是我认为至关重要的一个方面,这就是说,如果这样一个常设性的组织要实现它的目标的话,那么它就必须是一个封闭性的团体:它并不向所有人都开放,而只对那些与我们有着某些共同信仰的人开放*。如果我们要保有这个特征,那么就必须经过选举方能获得加入我们这个团体的成员资格,而且也必须像其他显贵的学会一样认真对待成员资格的问题。我并不曾打算把我

* 哈耶克的排他性组织原则和强硬的自由主义原则使许多原本有可能支持这个组织的知识分子开始疏远该学社,因为他反对同任何其他意识形态做任何妥协和让步。利普塞特在其代表作《政治人:政治的社会基础》一书中曾经就哈耶克的这种强硬的自由主义原则所导致的一个结果进行了描述,他在该书中指出:“如此众多的政治界与思想界的领导人参加的集会,代表着社会主义、自由主义及保守主义等各个方面,人们以为一定会有一场激烈的政治争论。事实上却不是那么回事。……在这次长达一周的会议的最后一天……哈耶克教授在闭幕词中攻击代表们,说他们是在准备去埋葬自由,而不是挽救自由。只有他一个人为这种普遍的趋势感到不安。他深以为忧的就是,信奉各种不同的政治信仰的代表们,竟普遍同意那些曾经界分左右派的传统性问题已经降至较不重要的地位。……哈耶克诚心诚意地相信国家干预一无是处,而且在本质上即是集权主义的,但是他却发现自己竟属于那个依然极为重视民主阵营内部之不同派别的少数派”(第 334 页,译文有所改动)。但是,我个人认为我们所需要思考的则是哈耶克的这种强硬原则所可能具有的深刻意义。——邓正来按

们自己的组织称为一个“院”。如果你们决定成立一个团体,那么当然应当由你们来为它命名。我对把它称为“阿克顿-托克维尔学社”(Acton-Tocqueville Society)的想法一直极感兴趣*,也有人建议再加上伯克哈特(Jakob Burekhardt)作为它的第三位守护神可能更恰当。但是,现在我们还不必考虑这个问题。除了我所认为的不论我们成立一个什么样的常设性机构它都必须是一个封闭性的团体这个关键之点以外,我在组织问题方面就没有什么要严格坚持的观点了。还要说明的是,至少在初期,我们应当尽可能使它保持一种松散的形式并使它仅仅作为一种通信团体而存在,而在这个阶段,成员的名单没有任何其他什么目的而只是为了使他们相互之间能保持直接的联系。如果有可能安排(我怕这无法实现)所有成员彼此提供自

---

* 哈耶克之所以提出以阿克顿和托克维尔(和伯克哈特)的名字来命名这个国际性学社,乃是因为哈耶克认为他们都视权力为首恶并都反对中央集权主义。所以他认为,他们可以提供那种基本的政治理想,而在这些基本的政治理想的激励下,未来的欧洲可以经历一种它所需要的政治再教育。正如哈耶克所指出的:“我认为,有一个伟大的名字是我们可以使用的,它的适合程度简直就像是专门为了这个目的设计出来的一般,这位伟大的人物就是阿克顿勋爵。确切地说,我想给你们提出这样一项建议,即‘阿克顿学社’(Acton Society)也许能够成为一个可以帮助英国历史学家与德国(也许还有其他一些国家)的历史学家进行合作的最合适的机构;而这也正是我一直在努力勾画的那幅蓝图。在阿克顿勋爵的身上,集合了许多特点,而正是这些特点,使得他几乎成了唯一能够胜任这种象征的人。当然,从阿克顿所接受的教育来看,他只是半个德国人,但是从他所接受的历史学的训练来看,他却不只是半个德国人。正是基于这个原因,德国人几乎把阿克顿当做了他们当中的一员。与此同时,阿克顿勋爵还把伟大的英国自由主义传统与欧洲大陆的自由主义传统的精华融合为一体……”此外,“……德国在今天流行着一种特别的时尚:所有的迹象都表明,伯克哈特(J. Burckhardt)的论著在今天非常受德国人的欢迎。尽管伯克哈特因信奉极端的悲观主义而与阿克顿有所差别,但是他们之间仍然存在着许多相似之处,其间最为突出的有下述三点:第一,他们都始终强调权力是一种首恶;第二,他们都反对中央集权制;第三,他们都对那些多民族的(接下页注)

己相关作品的复印件或油印件，那么这从许多方面来说都是我们所能做到的最有价值的事情之一。一方面它可以避免专业化刊物所会造成的危害，即我们只同那些已经改变信仰的人进行对话；另一方面它能使我们对其他人所进行的类似或补充性的研究活动了如指掌。但是，有两件事情乃是我们群体的所有成员所必须做的：(1)我们的努力应当达至各类读者而不应当只限于那些已经改变信仰的人；(2)与此同时，我们的成员应当对彼此的研究成果了如指掌——亦即以某种方式进行协调，而且我们至少应当对日后出版一本杂志的可能性进行考虑。

然而，在未来的一段时间当中，最好还是先能够实现我所建议的那种松散且非正式的结构，因为更高的目标会需要我们支付超出我们自己所能负担的财政资金。如果我们可以获得更多的资金，那么就有可能开放出各种各样的新的可能性。然而我想强调的是，尽管上述情形很可能是可欲的，但是，如果在不丧失完全独立性的前提下我们只能做到我所建议的那种低调的开端，那么我仍将对此感到满意。

(接上页注)小国表示同情。的确，将伯克哈特的名字以及托克维尔的名字与阿克顿的名字并提——尽管不是在该学社的名称上而是在该学社的纲领中将他们的名字并提，实是极为可欲的。关于托克维尔，一如我们所知，他不仅是一位伟大的法国历史学家，而且也与阿克顿和伯克哈特这两位学者有着许多共同之处。将这三位伟大的历史学家的名字并提，很可能要比用阿克顿一个人的名字能够更好地标示出那种基本的政治理想；而在那种基本的政治理想的激励下，历史学有可能给未来的欧洲提供它所需要的政治再教育——我们之所以这样说，也许是因为与几乎任何其他人相比较，这三位伟大的历史学家更好地继承和光大了一位伟大的政治哲学家的传统，而这位伟大的政治哲学家就是埃德蒙·伯克(E. Burke)”(参见本丛书第三辑所收入的哈耶克于1944年撰写的《历史学家与欧洲的未来》一文)。但是，值得我们注意的是，该学社并没有按此方式命名，而是以召开第一次会议的地点即瑞士“朝圣山”命名的。——邓正来按

这次大会本身当然向我们展示了对我们目标的追求是多么依赖于某种财政的资助,而且在确获必要的资助方面,我们也不能指望这次所获得的幸运会常常光顾我们,因为这次主要来自瑞士和美国(指的是美国人员的旅行费)的资助是没有任何附加条件的。就这一点而言,我一直想尽早告诉你们以使你们放心,与此同时我也想对 Hunold 博士和堪萨斯城的 William Volker Charities Trust 的 W. H. Luhnow 先生在这方面给我们所提供的帮助表示我们无限的感激之情,因为前者筹措了瑞士资金,后者则使美国朋友参加此次大会具有了可能性。对于 Hunold 博士,我们还要感激他为我们召开这次大会所做的所有地方上的安排,而我们现在得以享有的欢愉和一切舒适的条件都应归功于他的努力和远见。

我以为,如果我们在彼此更为熟悉并且就合作共事可能性方面的经验更为丰富的时候再对我在前面提到的实际任务进行讨论,那么效果就会极好。我希望在随后的几天中我们能够在私下的时间里对这些问题进行充分的讨论和交流,也希望在这一过程中我们的观点会逐渐明确起来。在三天的工作和接下来那三天休会期间比较轻松的伙伴关系之后,我们将重新回到正规的会议上来。因此我建议,我们应当在那时用一次会议的时间来对各种可能性进行系统或全面的讨论;而我也将等到那个时候再对我暂时为这个常设学社所取的名称给出论证,再对支配这个学社活动所必须遵循的原则和目标进行讨论*。现在,"朝圣山"大会即将开幕,诸位须全心全意地投入到大会中去,因为它的进程和命运已完全掌握在你们的手中了。

---

* 在大约 40 多年的岁月中,"朝圣山学社"一直忠实信奉它自己所宣称的诸项目标,没有采取任何行动,没有做任何公共性的公告,也没有进行宣传。而有关这些目标的"声明"则是在 1947 年 4 月 8 日"朝圣山学社"第一次大会期间通过的,(接下页注)

【注释】

[1]那些答应参加"朝圣山学社"第一次大会但因各种缘故而未能到会的有:罗马的 C. Bresciani-Turroni、纽约的 W. H. Chamberlin、巴黎的 Rene Courtin、纽约的 Max Eastman、罗马的 L. Einaudi、伯克利分校的 Howard Ellis、伦敦经济学院的 A. G. B. Fishler、斯德哥尔摩的 Eli Heckscher、麻省的 Hans Kohn、纽约大学的 W. Lippmann、普林斯顿大学的 F. Lutz、牛津大学的 S. de Madariaga、伦敦经济学院的 Charles Morgan、麻省的 W. A. Orton、伦敦经济学院的 Arnold Plant、巴黎的 Charles Rist、伦敦经济学院的 M. Roberts、巴黎的 Jacques Rueff、伊斯坦布尔的 A. Rustow、海德堡的 F. Schnabel、诺丁汉的 W. J. H. Sprott、巴黎的 Roger Truptil、

(接上页注)现将它翻译于此供读者参考:我们这些来自欧洲和美国的经济学家、历史学家、哲学家和其他公共事务研究者,于 1947 年 4 月 1 日至 10 日聚会于瑞士"朝圣山",对我们这个时代所存在的危机进行了讨论。我们希望这个组织能成为一个常设性的组织,进一步推进相互的联系并欢迎来自其他与我们具有同样信念的人士的合作,为此我们就一系列目标达成了共识,特声明如下:文明的诸项核心价值正处于危险之中。在世界上大多数国家和地区,人之尊严和人之自由的基本条件已经荡然无存。在其他一些国家和地区,这些基本条件也正在不断地蒙遭当下政策发展趋势的威胁,私性且自愿的群体的地位也正因为专断性权力的不断扩张而被逐渐动摇了。甚至连西方人最为宝贵的财富,即思想和表达的自由,也因下述教条的广为扩散而深遭威胁:由于这些教条在处于少数状况时主张享有被宽容的特权,所以它们只力图确立一种权势的位置,以压制和扼杀除了它们自己观点以外的所有其他观点。我们认为,这些发展趋势乃是因一种否认一切绝对道德标准的历史观的得势而促成的,也是因各种质疑法治之可欲性的理论的张扬而促成的。我们还认为,这些发展趋势乃是因人们对私有产权和竞争性市场的信念的减弱而促成的。因为,如果没有与私有产权和竞争性市场这些制度相勾连的权力和创制权的分散制度,那么人们就很难想象一个社会能够有效地维护自由。鉴于我们深信一场根本意义上的意识形态运动必须得到知识论辩的支持并以重申正当的理想为基础,我们在对立场问题做出初步探究以后认为,对下述问题进行进一步的特别研究是可欲的:(1)对当下危机的性质进行探究和分析,以使其他人清楚地(接下页注)

Poitiers 的 O. Villey、牛津大学的 E. L. Woodward、罗德岛的 H. M. Wriston、伦敦经济学院的 C. M. Young 等人。这些人后来都同意作为创始成员加入“朝圣山学社”。

(接上页注)认识到这场危机在道德和经济层面的基本渊源;(2)对国家的功能进行重新厘定,以更加明确地区分全权性秩序与自由秩序;(3)对重新确立法治和确使其按下述方式进行发展的各种方法进行探寻,按照这种方式,个人和群体不能侵犯其他人的自由,而且私有权利也不能允许变成掠夺性权力的基础;(4)对通过那些有利于创新和市场发挥作用的手段而确立最低标准的可能性进行研究;(5)在与那种把历史知识误用于推进各种敌视自由的教条的做法进行斗争的方面,对各种斗争方法展开探讨;(6)对创造一种有助益于保障和平和自由的并允许建立和谐的国际经济关系的国际秩序的问题进行分析。我们并不想进行宣传,也不试图确立任何精致且具有阻碍性的正统教条。我们不与任何特定的党派结盟。我们的唯一目的就在于:通过增进那些信奉某些相同的理想和重大观念的人士之间交流观点的方式,为维护和改善自由社会做出我们的贡献。——邓正来按

附　录

我为什么不是一个保守主义者*

自古到今，自由的真诚朋友可以说寥寥无几，而且自由所获得的成功也始终是少数者努力的结果：他们之所以胜出，其原因乃是他们一直与其他辅助者相结合，尽管这些辅助者的目标常常与自由人士本身的目标不尽相同。但是需要指出的是，这种结合始终存在着危险，有时甚至是灾难性的，因为这为反对者提供了正当的反对理由。

阿克顿勋爵(Lord Acton)

1. 一个多世纪以来，大多数被认为是进步的运动都以各种各样的方式不断侵蚀着个人自由[1]，而与此同时，那些珍视自由的人士在反对这些运动的方面也倾注了大量的精力。然而在这一过程中，这些珍视自由的人士却发现自己在很多时候竟与那些习惯于抗拒变迁的人处于同一阵线。从当下

---

* 本文转引自哈耶克著：《自由秩序原理》“跋文”，邓正来译，三联书店1997年版，第187～206页。

的政治现实情势来看,他们除了支持保守党派(the conservative parties)以外,通常没有别的选择。但是我们需要强调指出的是,尽管我在本书中所试图界定的立场也经常被称作"保守主义的立场",但事实上它却距传统上这一名称所指谓的立场之含义相去甚远。不加辨析地看待这两种立场,当会导致极大的危险,因为它会使人们把自由的捍卫者与真正的保守主义者混为一谈:自由的捍卫者与真正的保守主义者之所以会共同反对那些发展趋势,乃是因为他们各自的理想都遭受到了同等程度的威胁,但是这里需要明确指出的是,他们的理想实际上并不相同。因此,将本书所采取的立场与长期以来为人们所公认的——可能也是较为确切的——保守主义的立场做出明确的界分,是颇为重要的。

严格意义上的保守主义,乃是一种反对急剧变革的正统态度,这很可能是一种必要的,且毫无疑问也是一种广为人们持有的态度。在法国大革命以后的一个半世纪里,保守主义在欧洲政治中一直发挥着重要作用。在社会主义兴起之前,保守主义的对立面一直是自由主义。在美国的历史中,则不存在与此类似的冲突,因为欧洲所谓的"自由主义",在这里正是美利坚政体赖以建立的基本传统,所以美国传统的捍卫者亦就是欧洲意义上的自由主义者[2]。欧洲版的保守主义(the European type of conservatism),由于具有着一种多少有些独特的性质,所以与美国传统并不相容;然而,晚近那种试图把这种保守主义植入到美国的做法,却使得既有的混乱变得更加一发不可收拾了。更为糟糕的是,在这些人做出这类努力之前,美国的激进派人士和社会主义者已经开始以"自由主义者"自称了。因此,我们必须对这些不尽相同的立场加以严格的辨析。出于某种考虑,我暂时还是把我自己所采取的立场继续称作自由主义者的立场,但是我认为这一立场既与真正的保守主义立场根本不同,亦与社会主义的立场大相径庭。我必须坦率承认,我对把自己的立场称作自由主义的立场也忧心忡忡,所以我将在后文为自由党派(the party of liberty)考虑一个更合适的名称。我之所以要这样做,不只是因为“自由主义者”一词在今天的美国已成了频繁导致误解的根源,而且也是因为在欧洲,居于支配地位的唯理论的自由主义(rationalistic liberalism)长期以来一直就是社会主义的先驱之一。

在这里,我将首先指出那些在我看来之于那种名副其实的保守主义最具有决定性意义的反对意见。保守主义,从其性质来看,无法对我们现在的行动方向提供一种替代性选择。它或许能通过对当前潮流的抗拒而成功地延缓那些并不可欲的发展变化,但是由于它并不能指出另一种方向,所以它亦就无力阻止它们继续发展。正是基于这一原因,保守主义的命运就必定是在一条并非它自己所选择的道路上被拖着前行。保守主义者与进步党人之间的持久论战,只能影响后者在当代的发展速度,而不能影响其发展的方向。但是需要强调指出的是,尽管“进步之轮需要有一个制动装置”[3],然而就我个人而言,我却无法满足于仅仅使用这个制动装置。这是因为自由主义者必须首先追问的,并不是我们应当发展得多快、多远,而是我们应当向哪里发展。事实上,自由主义者与今天的集体主义激进分子间的差异,要比保守主义者与这些集体主义激进分子间的差异大得多。保守主义者对于那些不利于其社会发展的偏激影响,一般只持有一种温和且适中的反对态度,而今天的自由主义者却必须以一种更加积极的态度反对为多数保守主义者与社会主义者所共同拥有的一些基本观念。

2. 人们一般就上述自由主义者、保守主义者和集体主义者三方的相对立场所给出的图景,与其说是厘清了他们间的真正关系,不如说是更加遮蔽了他们间的真正关系。人们通常都将他们三方的不同立场置于一条水平线上加以理解:社会主义者在左端,保守主义者在右端,而自由主义者则在中间的某个位置上。这种图景可以说造成了最大的误导。如果我们真的需要图解,较为确当的做法乃是用一个三角形来表示他们间的关系:保守主义者已占据其间的一角,社会主义者竭力把他们拉向另一个角,而自由主义者则试图把他们拉向第三个角。但是,由于社会主义者在很长的一段时间里都能够强力拖拉,所以保守主义者一直趋向于追随社会主义者的方向,而不是自由主义者的方向,并且在一定的时距内接受那些因激进主义者的宣传而谋得尊重的观点。保守主义者不仅向社会主义者妥协,而且还常常掠其之美,这已经成了一种惯常之事。保守主义者由于没有自己的目标,所以只能是“中间道路”(the Middle Way)[4]的倡导者,而且他们也只为一种信念所支配,这个信念就是真理一定存在于两个极端中间的某个地方——结果,不论哪一翼出现一种更为极端的运动的时候,他们都会随之转移其立场。

因此,在任何时候,欲确当地描述保守主义的立场,都要视现行发展趋势的方向而定。由于过去数十年中的发展主要是沿着社会主义方向进行的,所以从表面上看,保守主义者和自由主义者都在竭力延缓社会主义运动的发展速度。但是,就自由主义而言,其要害在于它试图迈向另外一个方向,而不是处于原地不动。的确,自由主义曾一度得到了人们较为广泛的接受,它的一些目标也几近于实现。正是这个事实在今天常常使人们产生了这样一种印象:似乎自由主义正在逆行。但是我们要强调的是,这种印象与事实不符,因为自由主义从来就不是一种向后看的学说。毋庸讳言,自由主义的理想从来就没有获致过充分的实现,而且自由主义也从来不曾停止过追求或展望对既有制度的进一步改进或完善。自由主义并不反对进化和变革，凡是在自生自发的变革被政府的控制所窒息的地方，自由主义便要求对政策进行重大修改。就目前的大多数政府行动而言，当下世界的自由主义者几乎没有理由期望维持现状，亦不可能不要求变革。实际上，对于自由主义者来说，在当今世界的大多数国家或地区，最为迫切需要的乃是彻底清除对自由发展所构成的一切障碍。

在美国，人们仍然有可能通过捍卫长期确立起来的制度来保护个人自由，但是我们绝不能以这个事实来遮蔽上述自由主义与保守主义的区别。对自由主义者来说，美国的那些制度之所以极具价值，主要不是因为它们已确立久远，也不是因为它们是美国的，而恰恰是因为它们符合自由主义者所珍视的理想。

3. 在我对自由主义者的态度与保守主义者的态度之间所存在的主要的明显区别进行讨论之前，我必须首先强调指出，长期以来，自由主义者亦从一些保守主义思想家的著作中获致了颇多教益。我们（至少是在经济学领域之外）从他们对于业已确立的各种制度的价值所进行的令人尊敬的和值得称道的研究工作中，获得了诸多对我们理解一个自由的社会来说具有真正贡献的精辟洞见。不论柯勒律芝（Coleridge）、伯纳尔德（Bonald）、De Maistre、Justus Moser 或 Donoso Cortes 这些人在政治上有多么反动，他们还是在现代科学研究方法或研究路径发展起来以前，就已经对种种自生自发形成的制度（如语言、法律、道德和风俗等）所具有的意义做出了颇为深刻的理解，而自由主义者极可能已从中得益良多。但是，保守主义者对自由发展的赞誉论说，一般来讲只适用于过去的那些自由发展。他们的特点就是缺乏勇气去迎接同样属于不是出于设计的种种新变化，而正是在这些变化中会生成出人类奋斗所依凭的各种新工具。

上文所论使我们看到了保守主义者的倾向同自由主义者态度间的第一个根本区别。正如保守主义论者自己也常常承认的那样，保守主义者的态度的基本特征之一就是恐惧变化，怯于相信新事物[5]。而自由主义者的立场则是基于勇气和信心，基于一种充分的准备，即使不能预知变化将导向何方也要任它自行发展。如果保守主义者仅仅是不喜欢制度和公共政策发生迅猛激烈的变化，那么我们也没有什么理由可以大加反对的；而且仅就这点而言，主张谨慎、稳健和渐进的观点，也确实很有说服力。但是，事实上保守主义者却倾向于根据他们怯懦的思路运用政府的权力去阻止变革或者限制变革的速率。在对未来进行展望时，保守主义者又对自生自发的调适力量缺乏信任，然而正是对这种自生自发调适力量的信任，使得自由主义者毫不犹豫地接受各种变革，即使他们不知道如何实现这些必要的调适。事实上，自由主义者认定，尤其是在经济领域，市场所具有的自我调节力量无论如何都能够做出适应新情况的必要调适，尽管任何人都无从预见这些力量在每一个具体的情势中是如何做到这一点的。人们之所以常常不赞成任由市场自发地起作用，其中最为重要的一个原因乃是人们无力想象离开了审慎考虑的控制以后如何能够在需求和供给、出口和进口以及诸如此类的问题上达致某种必要的平衡。保守主义者，只有在确信有某种更高的智慧在关注和监督着变革进程的时候，只有在知道有某个权力机构在负责使变革“有秩序地”(orderly)展开的时候，才会感到安全和满意。

保守主义者这种不敢相信无法控制的社会力量的特点，是同它的另外两个特点紧密联系在一起的：一是它对权力机构的偏爱；二是它对经济力量的不理解。由于保守主义者不相信抽象理论和一般原则[6]，所以它既不理解一项自由的政策所依凭的那些自生自发的力量，也不拥有一个制定政策性原则(principles of policy)的基础。在保守主义者看来,秩序乃是权力机构不断加以关注的结果。因此,为实现秩序这一目的,就必须允许权力当局根据特定情况采取一切必要的行动,而不能用僵化的规则将它束缚起来。遵从原则,实则预设了对社会各种努力得以协调所依凭的一般性力量的理解,但正是这样一种关于社会的理论,特别是有关经济机制的理论,是保守主义明显缺乏的。保守主义者在如何维持社会秩序的一般认识方面是如此的贫乏,以至于他们的现代追随者在试图建构一个社会秩序的理论基础时,都会毫无例外地发现他们所求助的几乎全是那些自视为自由主义者的著作家。麦考利(Macaulay)、托克维尔、阿克顿勋爵和莱克(Lecky)等人,当然都认为自己是自由主义者,而且也为人们所公认。即使是埃德蒙·伯克,自始至终也是位"老辉格党人",而且他如果知道有人会将他视作托利党人的话,那么他也定会感到不寒而栗的。

现在,让我们再回到主要的问题上做进一步的讨论:一是保守主义者对业已确立的权力机构所采取的行动往往表示出一种特有的亲善态度;二是保守主义者的主要关怀乃在于如何使这种权力机构的权力不被削弱,而不在于将它的权力控制在一定的限度之内。这种态度和关怀很难与维护自由的立场相契合。从一般的层面上看,我们或许可以说,只要强制或专断的权力被用来实现保守主义者认为是正确的目的,那么他们就不会反对这种强制或专断的权力。他们确信,如果政府掌握在正派人的手中,它就不应当受到太多僵化规则的束缚。既然保守主义者在本质上是机会主义者且毫无原则可言,那么他们的主要期望也就必定依赖于明智善良者的统治——然而,这种统治所依据的不仅是我们所有的人都希望见到的那种示范,而且还要依靠人们赋予他们并由他们强制实施的权力[7]。如同社会主义者一般,保守主义者较少关注应当如何限制政府权力的问题,他们更为关注的则是由谁来行使这些权力的问题;同时,如同社会主义者一样,保守主义者还认为自己有权将他们所持的价值观念强加给其他人。

当我说保守主义者没有原则时,我并不是想说他们没有道德信念(moral conviction)。事实上,典型的保守主义者通常都是具有极强的道德信念的人士。我说保守主义者没有原则,实是指他们并不具有这样一些政治原则,亦即那些能够使他们与持有不同道德价值的人进行合作以建立起一种双方都能遵循各自信念的政治秩序的原则。正是对这类能够使不同的价值共处共存的政治原则的承认,才使得人们有可能在使用最少的强力的情况下建立起一个和平的社会。对这类原则的接受,意味着我们同意宽容善待许多我们不喜欢的事情。当然,较之社会主义的价值观念,保守主义者的许多价值观念对我更具吸引力;但是对一个自由主义者来说,他个人赋予特定目标的重要性,并不足以构成强迫他人去追求这些目标的充分理由。我相信,我在本书第三部分所做的讨论,将被我的一些保守主义的朋友们视为对现代流行观点的“妥协”,并且会对此感到震惊。但是这里需要注意的是,尽管我可能同他们一样不喜欢现行的一些措施,并可能就这些措施投反对票,但是我知道,事实上在这方面我还拿不出什么一般性的原则,可以使我说服那些抱有不同观点的人,并向他们指出在我们彼此共同期望的受一般性原则指导的社会里,是不能允许人们采取那些措施的。欲与他人一起成功地工作和生活,所需要的不仅仅是忠诚于一个人自己的具体目标,而且还需要对某种类型的秩序有一种智识上的承诺。在这种秩序中,即使在那些对某个人来说是根本性的问题上,也应当允许其他人追求不同的目的。

正是出于这一原因,自由主义者认为,道德理想和宗教理念都不是强制所能施于的确当对象，但是不无遗憾的是，无论是保守主义者还是社会主义者都不承认强制所应当具有的这种限制。我有时觉得，自由主义最为显著的特征就是它认为，那些关于行为善恶的道德观念，并不能证明强制为正当，因为这些道德观念本身亦不能直接干涉或侵入他人确受保护的领域。而正是自由主义所具有的这一特征，使其既明显区别于保守主义，也根本区别于社会主义。这或许可以解释为什么翻然悔悟的社会主义者在保守主义老巢里要比在自由主义阵营里更容易找到新的精神家园。

最后，保守主义者的立场还依赖于这样一种信念，即在任何一个社会中，都存在着一些受到公认的优越者，他们所承袭的生活标准、价值观念和社会地位应当受到保护，而且他们对公共事务也应当比其他人有更大的影响力。当然，自由主义者并不否认某些优越者的存在——这是因为自由主义者并不是平均主义者——但是，他们却不承认任何人拥有判定谁是优越者的权力。保守主义者倾向于捍卫某种业已确立的等级制度，并且希望权力机构能够保护他们所看重的那些人的社会地位。然而自由主义者却认为，任何对业已确立的价值的尊重，都不能证明下述做法为正当：为了保护这些优越者免受经济变革力量的冲击而诉诸特权、垄断或任何其他源出于国家的强制性权力。虽然自由主义者充分认识到了文化精英和知识精英(cultural and intellectual elites)在文明进化中所发挥的重要作用，但是自由主义者还是认为，这些精英并不具有特权，他们必须在同样适用于所有其他人的规则之下通过对自己的能力的证明来维护其地位。

与此紧密相关的乃是保守主义者对民主的一般态度。我在上文已经明确指出，我并不认为多数统治是一种目的；相反，我认为它仅仅是一种手段，甚或可以认为它是我们所必须加以选择的诸种统治形式中所具危害最小的一种形式。但是,我相信,当保守主义者把我们这个时代的一些弊端归罪于民主制度时,他们实际上是在自欺欺人,因为毋庸置疑,首恶乃是无限政府(unlimited government)。这意味着任何人都没有资格行使无限的权力[8]。现代民主政府所拥有的权力,坦率言之,若是为某些少数精英所掌握,会更加令人难以忍受。

我们应当承认,人们只是当权力为多数控制的时候,才开始认为对政府权力做进一步的限制是不必要的。在这个意义上讲,民主制度和无限政府之间的确存在着某种联系。但是,我们所要反对的并不是民主制度,而是无限政府。同样,我也看不出有什么理由可以使我们认为,我们不应当像限制任何其他形式的政府那样,去学习限制多数统治的权力。无论如何,与任何其他制度的优点相比,民主制度作为一种和平变革和政治教育的手段具有更大且更多的优点。因此,我无法对保守主义的反民主倾向抱有丝毫同情。对我来讲,实质性的问题不是谁来统治,而是政府有权做什么。

保守主义者反对过多的政府管制,绝非出于原则的考虑,而是其关注政府的特定目标所致,这一点在经济领域中表现得尤为明显。保守主义者通常都反对工业领域中的集体主义措施和指令主义(directivist)措施,在这方面自由主义者常常能够与他们结盟。但是与此同时,保守主义者通常又是保护主义者(protectionists),且频频支持农业领域中的社会主义措施。尽管今天在工业和商业中所存在的种种管制措施,主要是社会主义观念的结果,但是在农业领域中所具有的同等重要意义的那些管制措施,通常却是由保守主义者在更早的时候提出并采用的。此外,许多保守主义领导人还曾同社会主义者争抢风头,竭尽各自之能事,对自由企业大加贬损[9]。

4. 我在前文中早已指出了保守主义与自由主义在纯智识领域里的种种

区别，但是我在这里必须把它们再提出来进行讨论，这是因为保守主义者在这个领域中的特殊态度并不只是保守主义自身的一个严重弊端，而且还倾向于损害任何与之结盟者的目标和它自己的目标。保守主义者想当然地认为，是新观念而非其他任何东西更能引起变革。但是，从保守主义者的观点来看，他们之所以惧怕新观念，乃是因为保守主义者自身并没有独特的原则可资抗拒这些新观念；更有进者，由于保守主义者不相信任何理论，并且除了接受那些已为经验所证实者以外对未知事态又毫无想象力，所以他们实际上是在思想的斗争展开之前就已丢失了自己的武器。与自由主义对观念具有长远影响力的根本信任不同，保守主义则被种种从某个特定时期继受来的观念所束缚。而且，既然保守主义并不真正相信论辩的力量，那么它最后的依凭通常就只能是诉诸某种更高的智慧（superior wisdom），然而需要指出的是，这种智慧之所以是“更高的”，实是以某种自我妄称的优越品质为基础的。

上述区别在自由主义和保守主义这两种传统对知识增进的不同态度中，得到了最为充分的显示。尽管自由主义者并没有把所有的变化都视作进步，但他们确实把知识的增进视为人类奋斗的主要目标之一，并期望在知识的增进过程中能够逐步解决那些我们希望解决的问题和难题。一如我们在上文中所述，自由主义者并不只是因为新事物是新的才偏爱它，而是意识到创新乃是人类成就的本质所在。自由主义者时刻准备接受新的知识，而不会考虑这种知识的即时性影响是否为他们所喜欢。

就我个人而言，我认为保守主义者的态度中最应当加以反对的一点，就是它拒绝接受有充分根据的新知识的倾向，而他们之所以采取拒绝的态度，仅仅是因为他们不喜欢这种新知识似乎会带来的某些后果，换言之——或者更为直截了当地说——仅仅是因为他们所具有的那种蒙昧主义所致。我并不否认科学家也同其他人一样会受流行时尚的影响，而且也不否认我们在接受他们从最新理论中得出的结论时完全有理由保持高度的警醒。但是，我们在谨慎对待这些结论时所依据的理由，其本身却必须是理性的，而且也不能因为愤恨新理论推翻了我们所珍视的信念便对它们加以拒弃：理性与情感必须分离开来。一些人之所以反对——比如说——进化论或者所谓的对生命现象的“机械论”解释（mechanistic explanations），其原因只是他们不喜欢某些从表面上看似乎是这些理论所导致的道德后果。对于持这种态度的人，我几乎无法忍受。对于那些甚至把人们追问某些问题的做法都视作违背本分和大不敬的人，我就更不能忍受了。由于拒绝面对现实，保守主义者只能削弱其自身地位。另一方面，唯理主义者因其预设的缘故，而致使其从新的科学洞见中所得出的结论，也常常与事实和这些洞见根本不符。众所周知，唯有通过积极参与对新发现的后果进行分析或阐释，我们才能了解它们是否适合于我们的世界图景，如果适合，那么我们也需要通过分析和阐释，以认识它们是如何适合于我们的世界图景的。如果我们的道德信念真的被证明为是建立在一些已被认定是错误的事实性假设（factual assumptions）之上的，那么通过拒绝承认事实的方式而顽固地捍卫这些道德信念，就很难称得上是道德的。

由于保守主义者对新颖和陌生的事物不信任，所以他们也会敌视国际主义，并强烈倾向于民族主义。这是保守主义在思想斗争中之所以脆弱无力的另一个根源。其实，保守主义的态度并不能改变这样一个事实，即正在改变着我们文明的种种观念，绝不会承认任何国界的限制。但是，如果一个人拒绝接受新观念，那只能使其丧失在必要时有效抵制这些观念的力量。显而易见，观念的丰富和增进，乃是一个国际过程，而且只有那些充分参与这些观念讨论的人，才能对此一进程施以重大的影响。仅仅宣称一种观念是非美国的、非英国的或是非德国的，就不予接受，这显然不是一种真正的论辩；同样，仅仅因为一种错误的或邪恶的理想出自于本国一位爱国者的构设，就将其说得比其他理想都好，当然亦不是真正的论辩。

关于保守主义和民族主义间的密切联系，我们还可以做更为详尽的讨论，但我不想就这一问题再做发挥，因为有人可能会认为，是我的个人境况使我不可能对任何形式的民族主义予以同情。在这里，我只想指出一点，即正是这种民族主义的偏见常常为保守主义架起了通向集体主义的桥梁：根据“我们的”工业或资源进行思考，可以说与要求为了国家的利益而把这些国家资产置于国家管制或指令之下，只距一步之遥。但是仅就这一点而言，从法国大革命导源出来的欧洲大陆自由主义并不比保守主义好多少。不言自明的是，这种类型的民族主义乃与爱国主义（patriotism）相去甚远，而且反对这种民族主义与珍重一个民族的各种传统亦是完全相容的。但是需要强调指出的是，我珍爱并敬重自己社会的某些传统这一事实，并不能成为我对陌生的和不同于这些传统的事态抱有敌意的理由。

我们认为，保守主义者所具有的那种反国际主义的倾向，还时常与帝国主义联系在一起。的确，这一论点初看上去似乎有些矛盾，但是人们只需稍加思考，便能理解此一道理。这是因为人越是不喜欢新颖陌生的事物、越是认为他自己的方式优越，就越是容易把“教化”别人当做自己的使命[10]——其方法并不是通过自由主义者所欣赏的那种自愿的且自由的相互沟通，而是以那种赐予别人以有效统治的恩惠的方式加以实现的。颇具意义的是，在这方面我们又能经常发现保守主义者同社会主义者联手对付自由主义者的现象，这不仅发生在英国或是德国，而且还发生在美国。在英国，韦伯夫妇(the Webbs)和他们所领导的费边主义者可以说是地地道道的帝国主义者;在德国,国家社会主义和殖民扩张主义同流合污,并得到“社会主义者争取议席运动”的集团的支持;在美国,即使是在老罗斯福执政时代,人们也可以看到:“沙文主义者同社会改良者联手,并组织起一个政治党派。它甚至威胁要执掌政府大权,并运用此一权力去实现他们的恺撒式家长政制(Caesaristic paternalism)的纲领。这个危险之所以在今天看来是被躲过了,乃是因为其他党派只是以一种相对温和的方式和在相对微弱的程度上接受了他们的纲领。”[11]

5. 然而,如果我们换一个角度来看问题,那么我们就有理由说自由主义者占据着保守主义者与社会主义者中间的位置,因为他们既与保守主义者常常诉诸的那种神秘主义(mysticism)相去甚远,也与社会主义者所采用的那种赤裸裸的唯理主义相距千里:社会主义者居然想根据其自己的理性开出的模式来重建所有的社会制度。然而,我所描述的自由主义者的立场与保守主义者有一共同点,即他们在某种程度上都不相信理性:自由主义者极其清楚地认识到人们并不知道所有的答案,而且自由主义者也并不能确信他们所知道的答案就是正确的答案,甚或也不能确信人们能找到所有的答案。同时,自由主义者也极乐意从任何已经被证明为有价值的理性不及(non-rational)的制度或习惯中寻求帮助。自由主义者与保守主义者的区别在于,前者愿意正视这种无知,并承认我们所知甚少,但却不会在其理性所不及的地方声称存在着一个掌握着超自然的知识渊源的权威。我们必须承认,从某些方面来讲,自由主义者基本上是怀疑论者[12]——但是,除此之外,它似乎还要求有一定程度的自我怀疑,以便让其他人以他们自己的方式追求他们的幸福,以便一以贯之地坚持作为自由主义本质特征的宽容。

我们没有理由认为,自由主义者的这种怀疑和自我怀疑,就一定意味着自由主义者缺乏宗教信仰。与法国大革命的唯理主义不同,真正的自由主义与宗教并无冲突,而且我只能对那种在很大程度上激励了19世纪欧洲大陆自由主义的好战的且本质上属于非自由主义的反宗教主义(antireligionism)感到悲哀。自由主义之本质并不反对宗教;自由主义的英国前辈——老辉格党人,就清楚地标示出了这一点:这是因为老辉格党人与某种宗教信仰有着极为密切的关系。就这个问题而言,自由主义者与保守主义者之间的显著区别,就在于前者从不认为自己有权把自己的精神信仰强加于其他人,而不论他们的精神信仰有多么深奥神圣,而且对于自由主义者来说,精神领域和世俗领域乃是完全不同的领域,绝不应当加以混淆。

6. 上文所述,已足以说明我为什么不把自己视为一个保守主义者的道理了。然而,很多人会认为,我在上文所表明的立场很难说是他们惯常所称谓的"自由主义",因此,我现在必须面对这样一个问题,即自由主义这一称谓在今天是否仍可确当地适用于自由党派。我已经指出,虽然我一生都把自己视为一个自由主义者,但是晚近以来,每每当我称自己为一自由主义者时,所感到的疑虑亦越来越多。这不仅是因为自由主义这一术语在美国常常会引起误解,而且也是因为我越来越清楚地意识到,在我的立场与欧洲大陆的唯理论的自由主义之间,甚至与英国的功利主义者的自由主义(liberalism of the utilitarians)之间,都存在着不可逾越的鸿沟。

1827年,一位英国历史学家曾把1688年革命说成是"诸原则的巨大胜利,这些原则,用现在的话说,就是自由主义的原则或宪政的原则"[13]。如果自由主义在今天仍然具有这位历史学家所意指的含义,或者它仍然具有阿克顿勋爵所说的含义(他曾经将伯克、麦考利和格拉斯通视作三位最伟大的自由主义者），或者它甚至还具有哈罗德·拉斯基（Harold Laski）所意指的含义（他把托克维尔和阿克顿勋爵视为"19世纪至关重要的自由主义者"）[14]，那么我用这种意义上的自由主义来标示自己，我将对此感到不胜荣幸之至。尽管我也极想把欧洲大陆大多数自由主义者的自由主义称为真正的自由主义，但是，我必须指出，他们所主张的那些观念，乃为上述诸位伟大的自由主义者所强烈反对。而且我还必须指出，欧洲大陆式的自由主义者所欲求的乃是将一种前设的理性模式强加于世人，而不是为自由发展提供机会。英国那些自封为自由主义（Liberalism）的取向也大致如此，而这种情况至少从Lioyd George的时代就已经开始了。

因此，我们当有必要认识到，我所称之为的"自由主义"，与今天那些打着自由主义这一旗号而进行的任何政治运动都无甚关联。而且那些在今天依旧用这个称谓进行统合的历史上的组织或党派，是否有助于任何运动的成功，也同样大有疑问。在这种情况下，人们是否应当努力排除这个术语的种种误用并还其原本含义，亦是一个仁者见仁、智者见智的问题。然而，我个人越来越觉得，不加详尽解释或限定就使用这个术语会引起太多的混淆。同时我也感到，作为一种标志，自由主义这个术语所代表的更是一种心理上的安慰，而不是一种力量的源泉。

在美国，按我理解的那种意义使用"自由主义者"这个称谓，现在已是不可能了，美国人倾向于用"严格限权自由主义者"（libertarian）*取而代之。

---

* libertarian及其相应词libertarianism，在中国一般被译作"自由意志论"（这在某种程度上与上海译文出版社《新英汉词典》把libertarian译作"自由意志论者"有许多关系），然而这一译法却明显与哲学上free will（自由意志）及其所代表的哲学观相混淆，进而无从反映libertarianism这一思潮的社会政治理论意义，（接下页注）

这可能是个解决办法，但是我个人以为该术语毫无吸引人之处。就我来看，它带有过多的人造术语的和代用品的味道。我所希望的乃是这样一个术语，它可以被用来描述一个极具生命力的党派，亦即一个赞成自由发展和自生自发进化的党派。但是不无遗憾的是，我虽说已绞尽脑汁，试图发现一个能够为人们普遍接受的描述性术语，可是最后还是没有成功。

7. 然而，我们应当牢记，当我努力加以重述的那些理想最初在西方世界传播的时候，代表那些理想的党派拥有着一个得到普遍承认的名称，这便是

（接上页注）因此需要加以明辨。libertarian 及 libertarianism，在词源上由 liberty 的拉丁语词 libertas 演化而来，其含义主要是由 20 世纪英美两国的政治思潮所确定的。这个思想运动所关注的核心问题是："什么是政府的合法职能?"根据对这个问题的回答，我们又可以将 libertarianism 大体上分成两支，其中一支乃是"无政府主义"，它认为所有的政府都是不合法的；另一支有时亦被称作"有限的无政府主义"，宣称政府只能以适当方式实施强制，除此之外无提供服务之职能，甚至连征税亦不包括在内（请参阅《布莱克维尔政治学百科全书》"自由意志论"条目，中国政法大学出版社 1992 年版，邓正来主编）。然而根据哈耶克的社会政治理论，其所指乃是指上述政治思想中的第二种观点，故此港台有译者将其译作"极端自由主义"。但是，在我看来，这一译法亦欠妥适，一是因为"极端"这个形容词，常常带有贬义的价值意涵；二是因为美国大多数论者[也包括哈耶克等学者创建的朝圣山学社（The Mont Pelerin Society）中的许多成员]之所以采用 libertarianism 这个称谓，主要是为了与当时在美国盛行的集体主义式的"自由主义"——亦即完全偏离了古典自由主义基本目标的当代自由主义——做出区别；这样，把 libertarianism 或 libertarian 译作"极端自由主义"或"极端自由主义者"，似与此称谓提出之背后理路不相吻合。考虑到哈耶克的自由主义理论所强调的重点（即政府不仅拥有实施强制的垄断权，而且还具有极为重要的提供纯粹性服务的职能）与 libertarianism 的区别，又考虑到术语翻译的价值中立要求，译者以为将 libertarian 或 libertarianism 译作"严格限权自由主义者"或"严格限权自由主义"更妥适，它反映出了这一社会政治思潮的主旨及其所欲回答的问题，即以古典自由主义为立场，严格限制政府的合法职能。这一译法从意义出发，很难说是最恰当的译法，但是对于纠正国人长期以来因未做深究而把它译作"自由意志论"的做法，至少是有益的。——邓正来注

"辉格"。正是英国辉格党人的理想,激励了在整个欧洲展开的那种后来被称之为自由主义的运动[15],并为美洲殖民地的开拓者提供了种种思想资源。他们把这些理想带到美国,并用它们来指导独立战争和创建宪政[16]。事实上,这种传统的性质后来因具有全权性民主(totalitarian democracy)和社会主义倾向的法国大革命的影响的增加而被改变了,然而,在这个传统的性质被改变以前,自由党派便一直是以"辉格"这一名称而著称于世的。

这个名称后来之所以在它的诞生地销声匿迹,部分原因是辉格这一名称所赞颂的诸原则曾一度不再是某一特定政党的鲜明特色,另一部分原因乃是一些具有辉格这个名称的人士已不再忠诚于那些原则了。在 19 世纪的英国和美国,一些辉格党派中的激进主义者最终也都不再信赖这一名称了。但是更为重要的事实却是,由于自由主义只是在自由运动吸收了法国大革命所弘扬的赤裸裸的和好战的唯理主义之后才取代了辉格主义,又由于我们的任务主要是把那种辉格传统从侵入其中的唯理主义的、民族主义的和社会主义的种种影响中拯救出来,所以,从历史上看,辉格主义才是我所信仰的那些观念的确当称谓。我对思想观念的进化了解得越多,就越能真切地认识到我简直就是一个至死不悔的**老辉格党人**(Old Whig),而这个名称的重点在这个"老"字上。

承认自己是一个**老辉格党人**,当然并不意味着我想重新回到 17 世纪末去。本书的目的之一就是要表明,那些在 17 世纪末首次提出的原则,直到七八十年以前还一直在不断地丰富和发展,尽管它们在当时已不再是一个独立党派的主要目标了。而且从那时起我们又学到了很多东西,从而使我们能够以一种更令人满意的和更为有效的形式重述这些原则。但是需要强调指出的是,虽然我们必须根据目前的知识重新陈述它们,可基本的原则还依旧是那些老辉格党人的原则。确实,以辉格命名的这个党派的后来的历史,甚至会使一些历史学家都感到怀疑:过去是否真的存在过一套独特的辉格原则?关于这个问题,我同意阿克顿勋爵的观点,即虽然许多"原则的倡导者,最初只是一些最不知名的人士,但是由辉格党人最早提出的市政法之上存在着一种更高级法的观念,则是英国人的最高成就,也是辉格党人留给这个民族的最伟大的遗产"[17]。对此,我们还可以做一点补充:这一观念也是辉格党人留给世界的最伟大的遗产。此一原则构成了盎格鲁-撒克逊诸国共同传统的基础。它是欧洲大陆自由主义从中汲取的最具价值的一部分,它也是美国政府制度赖以为基的根据。在美国,它的纯粹形式并不是经由杰斐逊的激进主义为代表的,也不是通过汉弥尔顿甚或约翰·亚当斯的保守主义为代表的,而是通过"宪法之父"詹姆斯·麦迪逊(James Madison)的思想反映出来的[18]。

我不知道复活那个古老的名称是否符合实际政治的要求。不论是在盎格鲁-撒克逊世界,还是在其他地方,对于人民大众来说,这个名称很可能是一个与当下的生活并没有明确关联的术语,但是我们需要指出的是,这或许是一个优点而不是缺陷。对于那些谙熟思想观念史的人士来说,它很可能是唯一能确切表达这个传统所具有的意蕴的名称。对于真正的保守主义者,尤其是对于许多从社会主义者转变而来的保守主义者来说,辉格主义是最令他们厌恶的名称,而这也表明了他们的本能倾向。辉格主义始终是一个一贯反对各种专断性权力的唯一一套理想的名称。

8. 人们完全可以追问,这个名称是否真的如此重要。在美国这样的国家,总体上仍然是自由政体,因此在那里,保护现存事态常常就是保护自由。如果在这样的国家里,自由的捍卫者自称是保守主义者,的确可能没有太大的关系,尽管仅仅根据倾向而将他们与保守主义者联系在一起的做法也时常会引起很多麻烦。即使人们赞同相同的制度安排,我们也必须追问,他们赞同这些制度安排,究竟是因为这些制度安排已经存在,还是因为这些安排本身是可欲的。的确,不同取向的人虽然都全力反对集体主义潮流,但是我们却绝不能因此一表面现象而遮蔽这样一个重要的事实,即对完整自由(integral freedom)的坚信,乃是以一种在本质上是前瞻性的态度为基础的,而不是以任何怀旧的情感为基础的,也不是建立在对既存事态的罗曼蒂克式的赞慕的基础上的。

然而,如同在欧洲许多地方所展现的情况那样,在保守主义者已经接受了大部分集体主义的纲领——这种纲领长期以来一直左右着政策,以至于与之相关的许多制度都已经被人们视为当然而接受下来,甚至还成了创制这些制度的"保守主义"党派的骄傲之本[19]——的地方,要求对自由的捍卫者与保守主义者做出明确的区分却是绝对必要的。因为正是在这里,自由的信奉者定将与保守主义者冲突交火,而且他们也只能采取一本质上激进的立场,以反对种种流行的偏见、业已确立的立场和根深蒂固的特权。愚昧和滥用,绝不会因为已成为业已确立的政策性原则而有所改观,变成善事。

对于政治家来讲,"不要扰乱已然确立的事务"(quieta non movere)的原则虽说有时是一明智箴言,但它却绝不会令政治哲学家感到满足。政治哲学家可能会希望政府小心谨慎地推进政策,并且也可能主张在未得到公众舆论支持之前不要轻易地推行政策,但是他们却绝不可能仅仅因为当下的舆论支持某些安排就接受它们。在当下的世界,一如 19 世纪初期的世界那般,主要的任务乃在于将自生自发的发展进程从那些因人的愚昧而造成的障碍或困扰中解放出来,所以政治哲学家的希望就必须立足于说服那些——根据倾向来看——“进步”的群体并赢得他们的支持:尽管这些群体目前可能正在一错误的方向上寻求变化,但是他们至少愿意用批判的眼光去检视现状,并且愿意在必要的时候去改变这种现状。

我在考虑那种捍卫一整套知识原则和道德原则的群体时,偶尔也用“党派”(party)这样的术语来指称它们,但我不希望因此而误导读者。任何一个国家的党派政治问题,不属于本书的讨论对象。我们在这里需要指出的是,我在本书中试图通过将一种破碎的传统拼合起来的方式而重新建构一系列原则,这是一个方面的问题,然而,如何将这些原则转变成为大众欢迎的纲领,则实属另一个问题。不无遗憾的是,政治哲学家必须把后一个问题留给那些“世故且狡猾的人去处理,他们的俗称便是政治家或政客,而且他们的决定往往会受到即时性的变幻不定的情势的支配”[20]。政治哲学家的任务只能是影响公众舆论,而不是组织人民采取行动。只有当政治哲学家不予关注那些在当下政治上可行的事务,而只关注如何一以贯之地捍卫“恒久不变的一般性原则”[21]的时候,他们才能够有效地完成他们的使命。正是在这个意义上,我怀疑是否真的存在着一种所谓的保守主义政治哲学(a conservative political philosophy)的东西。保守主义可能常常是一种具有实际效用的箴言,但是它却无从为我们提供任何能够影响长期发展的指导原则。

【注释】

[1]这乃是一个多世纪以来的真实情况,而且早在1855年.J. S. Mill就指出[参见拙著 *John Stuart Mill and Harriet Taylor*(London and Chicago,1951),p. 216],“在这段时间中,社会改良者所实施的几乎所有项目,都切切实实地在扼杀自由”。

[2]B. Crick,“The Strange Quest for an American Conservatism”,*Review of Politics*,XVⅡ

(1955),365。他确当地指出:"一个自称为'保守主义者'的正常的美国人,事实上就是一个自由主义者。"这些保守主义者犹豫不决,不愿意用更为确当的名称(自由主义者)称呼自己,但是这种现象似乎只始于"新政"时期,因为当时自由主义一词正在被滥用。

[3]"进步之轮需要有一个制动装置"这句话,引自柯林伍德(R. G. Collingwood),*The New Leviathan*(Oxford:Oxford University Press,1942),p. 209。

[4]请参阅英国现首相 Harold Macmillan 为这本实用主义的论著的书名所做的颇具特色的选择:*The Middle Way*(London,1938)。

[5]请参阅 Lord Hugh Cecil, *Conservatism* ["Home University Library"(London, 1912)],p. 9:"地道的保守主义……乃一反对变化的倾向,其部分原因乃是不相信未知者。"

[6]请参阅 K. Feiling 对一个保守主义者所做的极具意义的描述:*Sketches in Nineteenth Century Biography*(London,1930),p. 174:"从整体来看,右翼人士极其讨厌这样一些观点,套用 Disraeli 的话来说,就是一个注重实际的人难道不是一个'重犯其前辈之错误的人吗'? 就长期的历史来看,他们不分青红皂白地一贯抵制改进,而且在主张尊敬其前辈的时候,他们也常常将观点变成年长者个人的成见。当我们补充说这一右翼正日益支配着左翼的时候,他们的地位就变得更加安全了,但也变得更加复杂了。他们的存在,凭靠的是不断地反复地移植和搬用自由观念,因此他们也为一种永不可能完善的妥协状态所折磨。"

[7]我相信,读者不会因我在这里重述一个我在早些时候所提出的重要的观点而怪罪于我,我认为:"亚当·斯密及其同时代的学者所主张的个人主义的主要优长在于,它是一种制度,而在这种制度下,坏人的侵害能被降至最小的限度。它还是一种社会制度,其功能的发挥并不依赖于我们对好人的发现,也不依赖于所有的人都变得比现在好,而是充分利用各具差异且繁复不等的人士,不论是好

人抑或是坏人，也不论是智者抑或是愚者，致使他们在此制度下都可以发挥各自的作用。”[*Individualism and Economic Order*(London and Chicago 1948),p.11]

[8]请参阅 *Lord Acton in Letters of Lord Acton to Mary Gladstone*, ed. H. Paul(London, 1913),p.73:“这里的危险并不在于某一特定阶层不适于统治。实际上任何阶层都不适于统治。自由之律倾向于废止种族对种族的统治，废止信仰对信仰的统治，废止阶级对阶级的统治。”

[9]J. R. Hicks 曾就这个问题正确地指出：“青年 Disraeli、马克思和 Goebbels 都同样对此做了不少讽刺和挖苦。”[“the Pursuit of Economic Freedom”, *What We Defend*, ed. E. F. Jacob(Oxford:Oxford University Press,1942),P.96]关于保守主义者在这方面的作用，请参阅我为 *Capitalism and the Historians*(Chicago: University of Chicago Press,1954)一书所做的导论，pp.19 以次。

[10]请参阅 J. S. Mill, *On Liberty*, ed. R. B. McCallum(Oxford,1946),P.83:“我认为任何社会都没有权力强迫其他社会接受教化。”

[11]J. W. Burgess, *The Reconciliation of Government with Liberty*(New York,1915), p.380.

[12]请参阅 Learned Hand, *the Spirit of Liberty*, ed. I. Diliard(New York,1952),P.190:“自由的精神，就是不要太确信某事或某观点为正确的精神。”又请参见 Oliver Cromwell 经常被征引的一句话，参阅其：*Letter to the General Assembly of the Church of Scotland*, August 3,1650:“以耶稣基督之名义，我恳请您千万要想到您也有可能犯错误。”极为重要的是，这一可能为人们记得最牢的话，竟然出自于英国历史上唯一的一位“独裁者”之口。

[13]H. Hallam, *Constitutional History*(1827)(“Everyman” ed.),Ⅲ,90.人们常常指出：“liberal”一术语乃源出于 19 世纪初期西班牙“自由人”(liberales)党。而我更倾向于认为，它实则源出于亚当·斯密在下述段落中对该词的使用(*W. o.*

N.,Ⅱ,41):“自由出口和自由进口的自由制度”以及(p.216)“根据平等、自由和正义这种自由的计划,允许每个人以其自己的方式追求自己的利益”。

[14] *Lord Acton in Letters to Mary Gladstone*, p. 44. 又参阅他在 *Lectures on the French Revolution*(London,1910,p.357)中对托克维尔的判断:“托克维尔乃是一最纯粹的自由主义者——而且也只是一位自由主义者,他对民主制度以及与其类似的制度(如平等、中央集权和功利主义)都深表疑虑。”同见 *Nineteenth Century*, XXXⅢ(1893),885。又参见 H. J. Laski,“Alexis de Tocqueville and Democracy”, in *The Social and Political Ideas of Some Representative Thinkers of the Victorian Age*, ed F. J. C. Hearnshaw(London,1933),P.100。在这篇文章中,Laski 指出:“我认为,我们有无可辩驳的理由说托克维尔和阿克顿勋爵都是19世纪至关重要的自由主义者。”

[15] 早在18世纪初期,一位英国观察家便指出:“我很少听说有哪位定居英国的外国人(不论他是荷兰人、德国人、法国人、意大利人,还是土耳其人),在与我们相融之后,不马上变成辉格党人的”[转引自 G. H. Guttridge, *English Whiggism and the American Revolution*(Berkeley:University of California Press,1942),p.3]。

[16] 颇为不幸的是,在19世纪的美国,人们在使用“辉格”这一术语的时候,他们竟忘记了这样一个事实,即在18世纪,辉格代表了指导美国革命、赢得独立和创制宪法的原则。也正是在当时的辉格社团中,年轻的 James Madison 和 John Adams 得以提出他们的政治理想[请参阅 E. M. Burns, *James Madison*(New Brunswick, N. J.:Rutgers University Press,1938),p.4];一如 Jefferson 所指出的那样,辉格诸原则在当时指导着法学家,他们构成了签署《独立宣言》的绝大多数,也构成了制宪大会的绝大多数[参见 *Writings of Thomas Jefferson*(“Memorial ed.”〈Washington,1905〉),XVI,156]。在当时,对辉格诸原则的信奉,已达致这样一种程度,即甚至连华盛顿的士兵都穿着具有辉格传统的“蓝色加米黄

色”的制服,一如英国议院中的 Foxites 的颜色,而且直至今天,《爱丁堡评论》(*Edinburgh Review*)杂志的封面还依旧保持着这种颜色。如果一代社会主义者一直将辉格主义视作其最为得意的攻击靶子,那么反对社会主义的人就更有理由捍卫这一名称了。在今天,“辉格”乃是唯一能确当描述 *Gladstonian* 式自由主义者的信念,*Maitland*,*Acton* 和 *Bryce* 那代人(这是最后一代将自由而非平等或民主视作主要目标的人)的信念的称谓。

[17]Lord Acton,*Lectures on Modern History*(London,1906),p. 218.(我对 Acton 的语句做了少许调整,以简要地表达其论点的意义)

[18]请参阅 S. K. Padover 为 *The Complete Madison*(New York,1953)一书所做的导论,p. 10:“用现代术语来看,Madison 可以被冠以走中间道路的自由主义者之名,而 Jefferson 则可被称之为极端的自由主义者。”这既是事实,也极为重要,尽管我们必须牢记 E. S. Corwin[“James Madison: Layman, Publicist, and Exegete”,*New York University Law Review*,XXVII(1952),285 对 Madison 所做的评论:Madison 在晚期“完全屈服于 Jefferson 对他的压倒性的影响”]。

[19]请参阅英国保守党对政策的说明:*The Right Road for Britain*(London,1950),pp. 41~42。该书在详尽论证后主张,“社会服务这个新观念,乃是由一个多数为保守党大臣的联合政府提出的,并为下议院中的保守党多数完全通过……我们已确立起原则,支持津贴计划、疾病和失业救济计划、工伤补助计划和国民健康计划”。

[20]A. Smith,*W. o. N.*,I,432.

[21]同上书。

人类价值的三个渊源 * **

Prophete rechts, Prophete links, Das Weltkind in der Mitten.

J. W. Goethe***

社会生物学的谬误

最初促使我对本文所涉及的论题进行重新思考的乃是一段不同寻常的文字。该段文字所明确陈述的就是我现在认为充斥于当下诸多学术讨论中的一个广为流传的谬误。我当时是在一部讨论社会生物学(Sociobiology)这门在今天被视作是美国新科学的颇为引人关注的著作中读到这段文字的。这本书便是皮尤(G. E. Pugh)博士所撰写的《人类价值的生物学起源》(*The Biological Origin of Human Values*)[1]。当然,这部著作还得到了此一学派的

---

* 本文转引自哈耶克著:《法律、立法与自由》全三卷"跋文",邓正来等译,中国大百科全书出版社1999~2000年版,第497~544页。

** 尽管按照最初的打算,我是想为本书专门写一个跋文的,但是我(哈耶克)发现把以下数页的内容按照演讲形式来写要更容易一些。后来,我于1978年5月17日在伦敦经济学院的Hobhouse演讲中就此作了专题报告。为了不继续延误本书最后一卷的出版时间,我于是决定把这个演讲当做本书的跋文收录在这里。此外,这份讲演稿已由伦敦经济学院在1978年出版了单行本。

*** J. W. Goethe, *Dichtung und Wahrheit*, book XIV. 此段诗句的发表日期是1774年。

公认领袖即哈佛大学的爱德华·威尔逊(Edward O. Wilson)教授的高度赞扬[2]。这段文字的一个令人震惊之处乃在于它认为,社会生物学的整个论辩都是以这样一个明确的假设为基础的,即人类价值只有两种,也就是皮尤博士所谓的"首要的"价值(primary value)与"次要的"价值(secondary value)。所谓"首要的"价值,就是指那些由遗传因素决定的因而也是先天的价值;而所谓"次要的"价值,则是指那些"理性思考的产物"[3]。

当然,社会生物学(social biology)乃是在发展了相当长一段时间以后才形成的。伦敦经济学院的老先生们一定还记得,早在四十多年以前,伦敦经济学院就已经设置了社会生物学讲座的教授职位。自此以后,人们在生态学(ethology)领域中做出了大量的精彩研究并使该学科取得了巨大的进展。这项生态学的研究最初是由朱利安·赫胥黎(Julian Huxley)爵士[4]、康拉德·洛伦茨(Konrad Lorenz)[5]和尼科·廷伯根(Niko Tinbergen)[6]等人创建的,后又经由许多极具天赋的追随者[7]以及一大批美国的研究者的努力而在今天得到了迅速的发展。我必须承认,即使对于我的维也纳朋友洛伦茨的著作——这50年来我一直密切地关注着他的研究——我偶尔也会感到不安,因为他有时候也会太过匆忙地把那些得自于考察动物的结论用来解释人的行为。但是,所有上述情势都没有能够使我把他们的论点视作是一个基本的前提,也没有使我持之一贯地把那些在其他人看来似乎是因偶然疏忽而得出的论点当成我自己论辩的出发点,因为我并不认为上述两种价值就是人类仅有的两种价值。

生物学家总是支持这种论点的现象[8]之所以令人感到惊诧,乃是因为人们本来以为他们会倾向于赞同某种与他们主张的那种进化观颇为相似但却在一些重要方面大为不同的优胜劣汰的进化观,然而颇为遗憾的是,他们却没有赞同这样的进化观;实际上,复杂的文化结构的形成恰恰是这样一种优胜劣汰的进化过程的结果。的确,文化进化的观念(the idea of cultural evolution)无疑要比生物进化的观念(the biological concept of evolution)有着更为悠久的历史。我们甚至可以说,查尔斯·达尔文(Charles Darwin)适用于生物学的进化观念,也极可能是他经由他的祖父伊拉斯谟斯(Erasmus)而习得的由伯纳德·孟德维尔(Bernard Mandeville)和大卫·休谟(David Hume)所主张的文化进化观念,如果说不是他更为直接地从与他同时代的历史法律学派(historical school of law)和历史语言学派(historical school of language)那里习得的文化进化观念[9]。然而颇令人惊诧的是,在达尔文以后,那些"社会达尔文主义者"(social Darwinists)居然需要到达尔文那里去学习那种属于他们本学科较早传统的东西。因此在我看来,他们的这种做法实际上是把问题搞糟了,而这种糟糕的状况则在他们的研究中得到了表现:第一,他们只关注那种在先天性方面更优的个体的优胜劣汰问题,然而我们知道,这种选择淘汰过程极为缓慢,因而对于文化进化来说意义甚微;第二,他们完全忽略了规则和惯例之优胜劣汰进化过程这个具有决定性重要意义的问题。但是需要强调指出的是,有些生物学家把进化(evolution)视作是一个纯粹的遗传过程的观点,则是毫无道理可言的[10],因为他们完全忘记了与这种遗传进化过程相似但却更为迅速的文化进化过程。实际上,正是这种文化进化过程在今天支配着人类的生活,而且还通过向我们提出我们尚未学会解决的难题的方式对我们的智力提出了挑战。

然而我必须承认,我在此前根本就没有想到:我对这样一个在某些专家中普遍存在的错误所做的深入研究,竟然能够使我直接洞见到我们这个时代某些最为紧迫的道德问题和政治问题的核心。从表面上看,这似乎只是一个与专家有关的问题,但是,我的研究结果却表明,它实是一种构成了某些最具支配地位的错误观念之基础的范式(a paradigm)。我当然希望我自己不得不阐明的大多数观点都是文化人类学家比较熟知的观点——而且强调过文化进化概念的也不只是霍布豪斯(L. T. Hobhouse)及其追随者[11],而且还有晚近英国的朱利安·赫胥黎爵士[12]、亚历山大·卡尔·桑德斯爵士(Alexander Carr-Saunders)[13]和沃丁顿(C. H. Waddington)[14],以及更为晚近的美国学者辛普森(G. G. Simpson)、特奥多修斯·多布赞斯基(Theodosius Dobzhansky)[15]和唐德·坎贝尔(Donald T. Campbell)等论者[16]。但是,在我看来,当下更为迫切的问题依旧是如何使道德哲学家、政治科学家和经济学家也来切实地关注文化进化这个观念的重要性。这是因为长期以来,这些论者一直没有能够认识到这样一个重要的事实,即当下的社会秩序在很大程度上并不是经由设计而建构出来的,而是通过那些在竞争过程中胜出的更为有效的制度的普遍盛行而逐渐形成的。

文化既不是自然的也不是人为的,既不是通过遗传承继下来的,也不是经由理性设计出来的。文化乃是一种由习得的行为规则(learnt rules of conduct)构成的传统,因此,这些规则绝不是“发明出来的”,而且它们的作用也往往是那些作为行动者的个人所不理解的。确定无疑的是,说文化的智慧(the wisdom of culture)实际上与说自然的智慧(the wisdom of nature)一样,都是有充分理由的——或许二者之间只存有一点区别,即文化智慧方面的错误更不容易得到纠正,因为政府所拥有的权力会妨碍我们纠正这些错误。

在这个方面,正是笛卡尔式的唯建构论认识进路[17],才使得一些思想家一直只把遗传性的规则或刻意选择的规则当成是“好的”规则接受下来,并且把一切纯粹自我生成的结构都视作是偶然的或无常的产物。的确,所谓

"纯粹文化的"东西,在今天被许多人都视作是可以任意改变的、专断的、皮相的,或者是可有可无的东西。然而,事实上,文明的发展之所以有可能,在很大程度上就是因为人类用那些理性不及的习俗(the non-rational customs)约束了自己所具有的先天性动物本能。而且一如我们所知,也正是那些理性不及的习俗,才使得规模日益扩大的有序之群体的形成具有了可能。

文化进化的过程

今天,越来越多的人开始认识到,文化进化并不是刻意建构制度的人之理性所导致的结果,而是文化与理性得以在其间共存发展的那个过程所产生的结果。**那种宣称智性的人创造了自己文化的论点,很可能与那种宣称文化创造了人之理性的论点一样,都是无甚道理可言的**[18]。正如我反复强调指出的那样,恰恰是经由我们从古希腊人那里继受而来的有关何为"自然的"与何为"人为的"那种错误的二分观,才使得上述错误的观点深深地植入了我们的思维之中[19]。实际上,那些经由传统上的人之惯例所形成的结构,既不是自然的(在遗传因素决定这个意义上所言的"自然"),也不是人为的(在智识设计之产物这个意义上而言的"人为"),而是一个甄别或转换的过程所形成的结果[20]。当然,指导这个过程的因素乃是不同的群体从各自(出于某些未知的也许还是纯粹偶然的缘故)采纳或遵循的惯例中所获得的差异优势(the differential advantages)。我们已然知道,不仅在诸如飞禽尤其像猿猴这样的动物当中,习得的习惯乃是经由模仿(imitation)而得以传播的,甚至不同的"文化"也可以在不同的动物群体中得到发展[21];而且这类后天习得的文化特性还会影响到生理上的进化(physiological evolution)——这在语言方面表现得特别清楚:语言最初的出现无疑使人所具有的清晰发音之生理功能变成了一个巨大的优点，而这显然有助于人从遗传上对一种合适的发音器官做出优胜劣汰的选择[22]。

几乎所有讨论这个论题的著述都强调指出，在人类存在的漫长岁月中，我们所谓的文化进化只是在其间距今的百分之一的时期内才发生的。就我们所指的那种狭义上的文化进化（亦即人类文明迅速和加速发展这个意义上的文化进化）而言，这种看法确实是有道理的。显而易见，这种文化进化因其依赖后天习得之特性的传播而与遗传进化（genetic evolution）甚为不同，所以它的发展很快，而且一旦居于支配地位，它甚至会掩盖或遮蔽遗传进化。但是值得我们注意的是，以上所论并不能够为那种认为业已得到发展的心智反过来指导文化进化的错误观点提供正当性理据。心智与文化的关系不仅发生在人类出现以后，而且早在人种及其原始人祖先存在以前的更为漫长的岁月里就已经发生了。我们在这里再一次强调指出：**心智与文化的发展是共存并进的而不是相继进行的**。一旦我们认识到了这一点，我们就会发现，我们对于这种发展过程究竟是如何展开的问题实在是知之甚少（我们对此也缺乏能够得到公认的化石作为证据），因此我们只有把这种文化进化过程当做 18 世纪苏格兰道德哲学家意义上的那种推测性历史（conjectural history）加以重构。所谓我们知之甚少的事实，实际上就是那些支配着人种在其间得以发展的各种小群体的结构和功能的行为规则的进化过程。关于这个问题，学者们对那些在今天依旧存在的原始族群所做的研究，也鲜能告知我们更多的东西。虽说推测性历史的观念在今天看来多少有些疑问，但是，当我们无力准确地陈述事情究竟是如何发生的时候，对它们如何可能发生的问题进行推测或理解，便不失为一个重要的洞见。从这个角度来看，社会及语言的进化与心智的进化实际上给我们提出了同样的难题:文化进化中最为重要的一个部分,亦即野蛮人的驯化过程,远在有记载的历史出现之前便已经完成了。正是这种唯有人类经验过的文化进化,才使得人类在今天得以与其他动物区别开来。正如恩斯特·贡布里希(Emest Combridch)爵士在某部论著中所指出的那样,“文明及文化的历史乃是人类从一种近乎动物的状态迈向礼仪社会的一部历史,而正是在这个历史的进程中,人类培育了艺术,采纳了文明的价值观,还自由地运用了理性”[23]。

为了理解或推测这个发展过程,我们就必须彻底否弃这样一种观念,即人类因拥有理性而能够孕育出文化。人类最为显著的特征乃在于他拥有模仿的能力和传承其所习得的东西的能力。人类历史很可能起始于他所拥有的那种在不同的情势中知道做什么事情——或在更多的情况下知道不做什么事情——的高超能力。再者,人类所习得的许多(即使不是绝大多数)有关做什么事情的知识,也很可能是通过学习语词的含义而获得的[24]。对于人类来说,那些能够使他的所作所为与其所处的环境相调适的规则,肯定要比有关其他事物如何表现的那种“知识”更重要。换言之,在较多的情形中,人类肯定是在并不理解某种事情为什么是正确事情的情况下而学会做这种正确事情的,而且习惯也往往会比理解或知识给他带去更大的帮助。人类有关其他事物的知识,在当时主要是通过人们对它们所采取的适当的行为方式而获得的。正是人类经由学习而获得的那些能够告知他们在不同的情势中什么是正确的行事方式和什么是错误的行事方式的规则,才使得人类不断地增强了他们与日益变化之情势相调适的能力,尤其是与本群体中的其他成员进行合作的能力。因此,一种独立于任何习知这类行为规则的单个个人而存在的行为规则传统,开始调整和支配人们的生活[25]。只是当这些习得的规则(包括对不同种类的客体进行类分的规则)开始把某种能够使人们在行动中据以预测外部事件的环境模式(model of the environment)纳入其间的时候,我们所说的理性才凸显出来了[26]。**自此以后,人们在思考行为规则系统方面所投入的智力,才可能大大超过了他们在思考其环境方面所耗用的心力。**

因此,把个人的头脑或心智说成是由进化产生的众多复杂结构之等级塔中的塔顶石,进而认为是人脑或心智设计出了我们所说的文化,实是极具误导性的。一如我们所知,心智乃是植根于某种传统的非人格的习得规则结构(a traditional impersonal structure for learnt rules)之中的,此外,心智类分或整理经验的能力,也是人们于后天习得的一种对文化模式(亦即对每个个人来说都是给定的那种文化模式)进行复制的能力。**人脑是一个能够使我们吸收文化而不是设计文化的器官。**这个“世界 3”(“world 3”),一如卡尔·波普尔(Karl Popper)爵士所称谓的那样[27],虽说每时每刻都得由千百万分立的头脑或心智参与其间才能维持自身的存在,但却是一种与人脑或心智的生理进化截然不同的进化过程所产生的结果。而当存在着一个文化传统可供人们吸收的时候,人脑或心智的繁复精细结构便会在此一方面发挥极大的作用。换言之,唯有作为另一个独立存在的独特结构或秩序的一部分,心智才能够存在,尽管这种独特的结构或秩序完全是因千百万人的心智持续不断地吸收其间的内容并矫正其间的部分内容而得到维续并能够得到发展的。如果我们想理解这种结构或秩序,那么我们就必须对那个被社会生物学完全忽略了的有关惯例和习俗的转换过程予以关注。这就是我在为此项讨论所设定的题目中所说的人类价值的第三种而且也是最为重要的一种渊源。对于这项渊源,我们必定知之甚少,但是我仍想把本文的大部分篇幅用来讨论这个问题。当然,在我开始对这类社会结构之进化方式的具体问题展开讨论之前,先对所有试图分析这类自我生成之复杂结构的研究都会碰到的一些方法论问题做一番简要的检讨,我想会是大有裨益的。

自我维续之复杂结构的进化

我们现在知道,所有持续性的结构(从高于最简单的原子水平的结构直到人脑与社会的结构)都是选择性的或优胜劣汰的进化过程(processes of selective evolution)的结果,而且也唯有根据这些进化过程才能够得到解释[28];与此同时,我们也已然知道,较为复杂的结构乃是通过持续不断地使其内部状态与外部环境的变化相调适的方式来维续自身的。"无论我们到哪里去观察,我们都能够发现种种会导致多样性和增进复杂性的进化过程"[尼科利斯和普利高津(Nicolis and Prigogine);参见本跋文注释(33)]。结构中所发生的这些变化乃是由它们的构成要素促成的。由于这些要素的行为有着一定的常规性,或者说它们有着遵循规则的能力,所以当该结构因受到外部影响而遭到侵扰的时候,这些要素的个别行动便会促使整个结构恢复到有序的状态。因此,我在此前的一部论著中所说的进化与自生自发秩序这对孪生概念(the twin concepts of evolution and spontaneous order)[29],能够使我们根据模式间的一种复杂的互动关系——唐纳德·坎贝尔(Donald Campbell)教授称其为"向下的因果关系"(downward causation)[30]——而不是根据单向因果律(one-directional laws of cause and effect)这个简单观念对这些复杂结构的持续性现象做出解释。

这个洞见在很大程度上改变了我们解释这类复杂现象的路径(approach),而且也大大改变了我们对我们努力解释这类复杂现象所能成就的限度的认识。我们需要特别指出的是，那种探求定量关系（quantitative relationships）的路径，在解释两个变量或三个变量之间的相互依存关系方面确实是十分有效的。但是，我们现在却没有理由相信那种探求定量关系的路径也能够对我们解释自我维续的结构（the self-maintaining structures）——这类复杂的结构完全是因为它们有着自我维续的特性而存在的——大有助益[31]。在这些自我生成的秩序当中，最为重要的秩序之一便是范围日益扩大的劳动分工秩序，这种劳动分工的秩序意味着，那些互相不知道而且也彼此不认识的人之间的活动是可以相互调适的。亚当·斯密根据反馈机制之作用（the operation of feedback mechanism）的原理，最早认识到了这个构成现代文明的基础。当然，亚当·斯密通过这种反馈机制之作用的原理不仅认识到了现代文明的重要基础，实际上还预见到了我们现在称之为控制论（cybernetics）的东西[32]。在过去，许多人都是通过有机论来解释社会现象的，亦就是试图通过把某种未加解释的秩序与另一种同样未加解释的秩序作类比的方式来阐释前者；然而，这种曾一度盛行的解释方法现在却被系统论（system theory）取代了——而这种系统论最初也是由我的另一个维也纳朋友路德维希·冯·贝特朗菲（Ludwig von Bertalanffy）和他的许多追随者提出来的[33]。人们正是通过这种系统论揭示出了那些不尽相同的复杂秩序所具有的共同特征；当然，信息与沟通理论（information and communication theory）和符号学（semiotics）也都对这些复杂秩序进行了讨论[34]。

特别需要指出的是，为了对庞大的社会系统的经济方面给出解释，我们所必须阐明的并不是一种由一系列可确定的数据所决定的假设性的均衡状态（a hypothetical state of equilibrium），而是这样一股洪流的脉络：这股洪流作为一个整体持续不断地与各种环境的变化相调适，而每个参与这股洪流的个人所能够知道的也仅仅是这些环境中的一小部分。此外,大多数经济学家在今天仍然热衷于使用的那些统计测量数字,或许从历史事实的角度来看是颇具意义的;但是,对于从理论上解释那些自我维续的模式来说,这种量的资料却是没有多大意义的。正如我们所知,当人体生物学所侧重解释的恰恰是那些碰巧被拿到解剖室里的不同人的人体器官(比如说胃和肝)的不同的尺寸和形状(它们与教科书中所确定的标准尺寸或形状极不相同而且也只是偶尔相似)的时候,上述那种量的数据对于这种人体生物学也是没有多大意义的[35]。显见不争的是,这些数值与这种系统所具有的功能之间并不存在什么关系。

行为规则的层级[36]

现在,让我们还是回过头来对本文的核心论题做一番讨论:三种不同且独立的过程分别发展出来的规则之间的差异,造成了一种**重叠的规则结构:它并不只是由三层规则而是由多层规则构成的,**亦即与文化进化所经历的前后相继阶段中留存下来的那些传统的层级数量相当。当然,规则层级的不断重叠造成了它们之间的冲突,结果,现代人备受这些矛盾冲突的折磨,但是值得注意的是,这些矛盾冲突并不只是困扰现代人,而且还迫使他们做出了愈益升级的进一步变革。当然,在这个重叠的规则结构中,第一层乃是顽固的规则层级,也就是那种无甚变化的因遗传而继受下来的"本能"驱动之基础——而这些"本能"驱动则是由人的生理结构所决定的。第二层乃是人类在其经历的前后相继的社会结构类型中所习得的各种传统的全部留存规则,也就是人们并不曾刻意选择但却广为传播和盛行的那些规则;这些规则之所以得到传播和盛行,实是因为某些惯例促成了某些群体的繁荣,而且还致使它们的规模得到了扩大(这些群体的扩大也许更多的是凭靠它们对群体外的人的吸引,而不是靠群体内部人口的迅速增长)。第三,也就是这个重叠规则结构中的最高一层,这是一个较薄的规则层,其间所包括的乃是人们经由刻意采纳或刻意修正而用来服务于那些明确且已知的目的的那些规则。

人们之所以能够从小群体过渡到定居的生活共同体并最终过渡到开放社会和步向文明,实是因为人们学会了遵循某些同样的抽象规则,而不是因为他们受着那些追求即时性共同目的的先天本能的指导。人们所具有的这类先天性的欲求对于小群体的生活状况来说是颇为合适的;因为正是在这种小群体的生活过程中,人们培育形成了自己的神经结构,而这种神经结构直到今天依旧是人类所特有的典型特征。这些先天性的结构乃是在大约50 000个世代的岁月里逐渐融入人的机体之中的,而且也是与当时的生活极其适应的。然而需要指出的是,当时的那种生活,却与人类在过去500个世代——对我们当中的大多数人来讲,实际上只有大约100个世代——中为自己创造的生活条件大为不同了。因此,把这些“自然的”本能与“动物的”本能等而视之,而不是将之与典型的人的本能或好的本能混为一谈,很可能会更确切一些。我们认为,人们把“自然的”(natural)这个术语普遍当做一个褒义词来使用的做法,有着很大的误导性,因为人们在较为晚近的时候所习得的那些规则,其主要功能之一便在于用一种型构大社会所必须依凭的方式去约束那些先天的或自然的本能。人们依旧倾向于假定自然的就必定是好的。但是在大社会中,事实却远非如此。使人变成好人的因素,既不是自然(nature),也不是理性(reason),而是传统(tradition)。实际上,在人种的生物大赋中并不存有多少共同的人性。但是,大多数群体为了融入较大的社会之中,就不得不去学习或获取某些相似的习性。换言之,事实更可能是这样一种情形,即那些没有如此行事的群体被那些这样行事的群体消灭了。尽管我们仍然还保有着原始人的大多数感情特性,但是原始人却并不完全具有我们所具备的感情特性,或者说,原始人并不具有我们所具有的那些自我约束的品格,而正是这一点才使得文明的形成有了可能。遵循习得的规则,而不是直接追求即时性需求或眼前的目的,成了人们约束那些不适合开放社会之秩序的自然本能的必由之路。当然,人们在今天仍旧在反抗着这种“规训”(discipline,该词在词典上的含义中有一项是“行为规则系统”)。

那些维续着开放社会的道德规范,并不会同时有助于满足人的情感——当然这也从来不是进化的目的。它们只是发挥一种信号的作用,告知个人在他们生活于其间的那种社会中应当如何行事。实际上,人们直到今天也没有充分理解这样一个问题,即人们之所以有必要从文化上选择新习得的规则,主要的目的就在于抑制某些先天性的规则(innate rules),因为这些先天性的规则只适合于15人到40人组成的小群体的狩猎生活和采集生活(这种小群体在一个首领的领导下坚守一块领地并抵御任何外敌的入侵)。从这个阶段开始,任何进步的取得,实际上都必须以遏制或抑制某些先天性的规则为基础,而且还必须代之以一些新规则,亦即能够使较大群体的活动得到彼此协调的那些新规则。文化进化过程中的大多数进步,正是通过一些个人不断打破某些传统的规则并实践新的行为方式而成为可能的。然而,这些个人之所以如此行事,却并不是因为他们知道这些方式是更好的方式,而是因为按照这些新行为方式行事的群体要比其他群体更兴旺发达[37]。我们千万不要因为这些规则在过去常常呈现为巫术形式或仪式化形式而感到惊讶。在当时,获准加入一个群体的条件,亦就是接受该群体的一切规则,尽管甚少有人知道对某项特定规则的遵循究竟会产生什么结果。此外,当时的每个群体也只有一种公认的行事方式,而且也甚少有人试图对行事方式的有效性与道德可欲性(moral desirability)进行界分。

习惯性规则与经济秩序

根据行为规则的变化来阐释人类文明所经历的不同经济秩序的替换或接续问题,是极具意义的,但是我却不可能在这里进行这一尝试。行为规则的变化,在很大程度上是通过放宽禁令的方式而使经济秩序的进化成为可能的:这就是个人自由的进化以及那些保护个人而不是命令个人去做特定事情的规则的发展过程。毋庸置疑,容忍与外人进行易货交易,承认具有明确界限的私有财产权(尤其是土地所有权),实施合同之义务(contractual obligations),允许人们与同行中的工匠展开竞争,允许原有的习惯性价格上下波动,以及允许货币借贷等做法,最初都是在打破习惯性规则(customary rules)的情况下完成的——自此以后,大量类似的习惯性规则也就不再为人们所欢迎了。那些打破成规的人,亦即那些成为开路先锋的人,肯定不是因为他们认识到了新规则会对他们所在的社会有助益而引进那些新规则的;相反,他们只是率先采取了一些对他们自己有利的行事方式,而这些行事方式则是在事后被证明为有助益于那些盛行这些做法的群体的。例如,皮尤博士便极为确当地指出:

> 在原始人的社会中,“分享”(sharing)乃是一种生活方式。……他们所分享的东西不只限于食物,而且还包括各种资源。这种做法的实际结果是,在这种社会内部,社会成员对稀缺资源的分享大

> 体是按其需求的比例来实施的。这种行为方式可以反映出人类在向狩猎经济过渡的期间所形成的某些先天的且为人类所独有的价值[38]。

在人类发展的那个阶段,事实很可能真是如此。但是,人类为了过渡到市场经济和开放社会,他们就不得不否弃他们业已确立的那种“分享”习惯。为了实现这种过渡而采取的一切步骤,都是对那种支配着小群体的“团结一致”(solidarity)的破坏。毋庸否认,即使到今天,这类“破坏性"的措施还常常会遭到一些人的怨恨,但是,这类“破坏性”的步骤却是人类步向几乎所有在今天被我们称为“文明”的状态的必要步骤。在人类社会从熟人社会(face-to-face society)[39]向卡尔·波普尔爵士确当称之为的抽象社会[40]的过渡过程中,发生了翻天覆地的变化,但是直到今天,人们也没有完全理解这种变化的意蕴。在波普尔所谓的那种抽象社会中,指导人们与陌生人交往的因素,已不再是那些熟人的已知需求,而是那些抽象的规则和非人格的信号(impersonal signals)。正是这类变化,才使得专业化的发展有可能远远超出任何一个人所能察知的范围。

即使在今天,绝大多数人(恐怕还包括许多所谓的经济学家)都尚未理解这样一个道理,即这种以广泛分散的信息为基础的范围广大的社会劳动分工,完全是凭靠人们对那些源出于市场过程的非人格信号的运用而成为可能的,因为那些信号能够告诉人们采取什么样的行动才能够使他们的活动与他们并不直接知道或了解的事件相调适。显而易见,在一个范围广大的劳动分工的经济秩序中,指导人们行动的因素已不再可能是对即时性的共同目的的追求,而只能是对抽象的行为规则的遵循——以及我在本书前两卷中力图阐明的在这类个人行为规则与某种秩序之型构之间的全部关系。然而需要指出的是,就是这样一种极为深刻的洞见,在今天仍然遭到了大多数人的拒绝。一般来讲,最有助益于社会之正常运转的因素,乃是人们所继受的那些传统规则,而不是那种在本能上被认为是正确的东西,也不是那种从理性上被认为是有助于具体且已知的目的的东西——而这正是在我们这个时代占据支配地位的唯建构论观念所拒绝接受的一个不争的事实。当现代人发现他的先天本能并不总是能够把他引向正确方向的时候,他至少会自以为是地宣称,正是他的理性使他认识到了一种不同的行为会更好地服务于他的先天价值。有论者认为,在满足自己先天性欲求的过程中,人类便已然有意识地建构起了一种社会秩序。然而,这种观点却是错误的,因为我们知道,如果在本能与理性设计之能力之间不存在文化进化,那么人类就不可能拥有使他在今天有可能去尝试建构这种社会秩序的那种理性。

人并不是因为明智而采纳了新的行为规则,实际上,人恰恰是因为遵循了新的行为规则而变得明智起来。现在,我们必须强调指出,那些对人类最有助益的制度(从语言到道德及法律的制度),不仅从来就不是他们发明出来的,而且直到今天,他们还没有明白为什么他们在这些制度既不满足其本能也不满足其理性的情况下还应当维护这些制度。我们之所以有必要一再强调这个最为重要的洞见,实是因为许多唯理主义者仍在拒斥这个洞见,甚至还倾向于把这个洞见归入迷信的范畴。文明的基本工具——语言、道德、法律和货币——都是自生自发之过程的结果,而不是设计的结果;然而,有组织的权力机构却完全控制并彻底腐化了其间的后两项工具:法律和货币。

尽管左派倾向于把所有这样的努力都统统贴上"卫道辩护"(apologetics)的标签,但是确定无疑的是,努力发现那些并非我们刻意制定的规则的重要意义(我们正是通过遵循这些规则而形成了远非我们的理解力所能企及的复杂秩序),却依旧是我们在智识方面的最为重要的任务之一。我早已指出,人类在本能引导下去追求的那种快乐肯定不是进化为之服务的目的,而只是这样一种信号:这种信号在原始的条件下会促使个人去做维续本群体之生存通常必须做的事情,但是这种信号在当前的条件下却不再能够发挥这样的作用了。因此,那些从当下的规则是否有助于个人快乐这一点来推断它们是否有效的唯建构论功利主义学说,是完全错误的。当代人已然学会遵循的那些规则,确实使人口的大规模激增有了可能。而这一点是否也增加了每个个人的快乐,我则无甚把握。

自由的规训

人类的发展并不是在自由状态中进行的。那种为了生存而不得不死守着小群体的成员,根本就不是自由的。**自由乃是一种文明的造物:**它把人从小群体的羁绊中解放了出来——因为我们知道,这种小群体所具有的即时性反复无常的要求,根本就无法使个人获得自由,而且即使是小群体的头领也不得不对之臣服听从。自由乃是经由**那种同时也是自由之规训**(the discipline of freedom)**的文明之规训**(the discipline of civilization)**的进化**而成为可能的。自由一方面通过非人格的抽象规则(impersonal abstract rules)来保护个人并使他们免受其他人的专断暴力的侵犯;另一方面则能够使每个个人都去努力为自己营造一个任何其他人都不得干涉的确受保护的领域,其间,每个人都可以运用自己的知识去实现自己的目的。据此我们可以说,我们之所以享有自由,实是因我们对自由的约束所致。"因为",约翰·洛克如是说:"当任何一个人都可以对某个人颐指气使的时候,还有谁能够享有自由呢?”(参见洛克:《政府论》下篇,第57节。)

从熟人社会(或者至少是由彼此相识和可辨识的人组成的群体社会)向开放且抽象社会的过渡,乃是一场巨大的变革。因为第一,开放且抽象的社会已不再是经由追求共同且具体的目的而只是通过服从同样的抽象规则而凝聚在一起的;第二,不仅这场巨变所产生的那种社会秩序越来越难以理解了,而且人们为了维续此种社会秩序而不得不服从的那些习得的规则也往往是与人们的先天性本能相反对的[41]。这里最难理解的很可能是这样一个问题,即一个开放且自由的社会所具有的唯一的共同价值并不是那些有待实现的具体目的,而只是那些能够确使一个抽象秩序得到持久维续的共同的抽象行为规则:这种抽象秩序只保证向个人提供他得以实现其个人目的的较好前景,而不赋予个人以要求特定东西的权利[42]。

为维护狩猎者小群体和采集者小群体而必须采取的行为,与一种以交换为基础的开放社会所预设的那种行为,是极其不同的。值得我们注意的是,虽说人类耗用了千百万年的时间去学习并以遗传的方式去吸纳那些为维续小群体所必需的回应能力,但是对于开放社会的兴起来说,人类却必须满足另外两个条件:一是人类必须经由学习而掌握新的规则;二是某些新的规则必须有助于抑制人类所具有的那些不再适合大社会的本能反应。人们之所以支持这些新规则,并不是因为他们意识到了这些新规则更具实效。**我们的经济制度从来就不是我们设计的,因为我们的智力还不足以承担此项任务**。我们乃是在无意或偶然之中迈入这种经济制度的,但是这种经济制度却把我们推到了一个始料未及的发展高度并激起了我们更大的雄心和抱负。需要指出的是,如果我们无视我们理性的限度,那么这种雄心和抱负便有可能促使我们把我们的制度引向毁灭。

那些一方面只承认先天倾向而另一方面又只承认那些刻意设计的规则系统的人,肯定是无法理解这种发展趋势的。此外,任何不了解市场的人,也是绝对不可能设计出一种能够维续现有人口之生计的经济秩序的。

在当时,这种以交易为基础的社会之所以有可能,通过可变的市场价格对广泛的劳动分工间的合作进行指导之所以有可能,都是以这样一个事实为基础的,即经由逐渐演化而形成的某些道德信念在众人之间的不断传播并在传播以后得到了大多数西方人的接受。显而易见,那些主要由独立的农场主、手艺人和商人构成的群体肯定习得了这些规则,而且这些人的雇员和学徒也肯定习得了这些规则,因为这些雇员和学徒与他们各自的主人有着同样的日常经验。这些规则所坚守的乃是这样一种"意索"(ethos),它尊重勤俭节约者、善理农务者和家庭生计提供者——这些人乃是通过积累资本的方式来考虑或安排自己家庭的未来生活和筹划自己的未来工作的,而且指导他们行动的与其说是他们想能够消费更多东西的欲求,倒不如说是他们想被那些与他们追求类似目的的人视作是成功者的希望[43]。在当时,真正使市场秩序得以维续的乃是成千上万实践新行为方式的个人,而不是他们会去模仿的那些偶尔取得成功的创新者。市场秩序的惯例实际上还隐含有这样的意思,即为了满足成千上万的不确定的任何人的未知需求,个人可以拒绝向自己熟识的贫困邻人提供他们可能需要的东西。据此我们可以说,财政收益[而不是对某种已知的共同善(common good)的追求],不仅构成了人们达成共识的基础,而且也成了推动总财富不断增长的驱动力。

被抑制的原始本能的重现

在当下的西方世界,越来越多的人都是作为大组织的成员成长起来的,因此，他们对于那些使开放的大社会成为可能的市场规则也是极为陌生的。对他们来说，市场经济在很大程度上是难以理喻的；他们从不实践市场经济赖以为基础的规则，而且市场经济的结果在他们看来也是非理性的和不道德的(irrational and immoral)。他们从市场经济中往往只能看到一种由某种邪恶力量维持的专断结构。结果，他们身上所具有的那些一直受到抑制的先天性本能又重新爆发了出来。据此我们可以说，他们对正义分配的诉求(有组织的权力将在这种分配方式中被用来分派每个人应当得到的东西)，严格来说，乃是一种以原始情绪为基础的返祖现象(an atavism)。此外需要指出的是，那些先知先觉者、道德哲学家和唯建构论者在炮制他们刻意创造新型社会的计划的时候所诉诸的也正是这些广为盛行的原始情绪[44]。

值得我们注意的是，尽管这些人所诉诸的都是同样的情绪，但是他们的论辩却大相径庭，从某些方面来看甚至还是彼此矛盾的。一些论者建议重新起用那些在久远以前便开始盛行而且在今天依旧为人们感到亲切的古老规则；另一些论者则试图建构一些能够更好地满足个人先天性欲求的新规则。一般来讲，宗教先知先觉者和道德哲学家在任何时候都是反动者，因为他们捍卫旧原则并反对新原则。在世界上的大部分地区，开放型市场经济的发展，长期以来一直都受着先知先觉者和道德哲学家所鼓吹的道德观念的阻碍，而且需要强调指出的是，这些先知先觉者和道德哲学家甚至早在政府采用措施干预市场经济之前就已经开始运用这种道德观念去干扰市场经济的发展了。**我们必须承认，现代文明之所以有可能产生和发展，在很大程度上就是因为人们无视那些满怀愤恨的道德说教者所确定的禁令。**正如法国历史学家让·贝希勒(Jeaw Baechler)所确当指出的那样，**“资本主义得以扩张的根源及其存在的理由，须归于政治上的无政府状态**(political anarchy)"[45]。就中世纪的情形来看,事实的确如此。然而,中世纪的人们却可以从古希腊人的教诲中汲取养分:古希腊人——在某种程度上也是因为政治上的无政府状态——不仅发现了个人自由和私有产权[46],而且还发现了这二者之间不可分割的特性[47],并据此创造出了第一个自由人的文明。

显而易见,当那些先知先觉者和哲学家[从摩西(Moses)到柏拉图和圣·奥古斯丁(St Augustine),再从卢梭到马克思和弗洛伊德(Freud)]反对那些普遍盛行的道德观念的时候,他们实际上根本就不知道自己所谴责的那些惯例在使他们本人置身于其间的那种文明成为可能的方面究竟起到了多大的作用。此外,他们也完全不知道,实际上正是那些作为告知个人如何行事之信号的竞争性价格和酬报的系统,通过向个人提供信息并使他们知道如何能够为他们可能不认识的其他人提供最好的服务(而且在如此行事的过程中使他们知道如何能够最好地运用他们本人并不直接知道的那些机会),才使得范围极其广泛的专业化过程具有了可能。当然,他们更不会理解,那些被他们谴责的道德信念,与其说是市场经济进化的结果,倒不如说是它的原因。

然而,先知先觉者所具有的最为严重的问题则是他们持有的这样一个论点,即那些凭直觉认知到的和从人们心灵深处推演出来的伦理价值乃是恒定不变的。正是他们所持的这个论点使他们无法认识到:第一,所有的行为规则都是为某一特定种类的社会秩序服务的;第二,为了免遭分崩瓦解,每种社会都肯定会认为有必要强制实施自己的行为规则。但是需要指出的是,并不是拥有某种给定结构的社会创造了适合于它自己的规则,而是由少数人先行实践,而后又为许多人所效仿的那些规则创造了某种特定类型的社会秩序。传统并不是某种恒定不变的东西,而是一个优胜劣汰之选择过程的产物——当然，这个选择过程并不是由理性决定的，而是由成功指导的。传统是变化的，但是却鲜能被人们加以刻意的改变。文化的选择过程并不是一种理性的过程，它不仅不受理性的指导，而且还创造理性。

上述所谓道德规则是恒定不变的论点，当然在某种程度上还得到了另外一种观点的支持。这种观点认为，既然我们的整个道德体系都不是我们设计的，那么我们也就只能够对这个体系做整体的改变[48]。众所周知，千百万人的活动之所以能够得到协调，乃是因为它是以一种自生自发的行动秩序为依凭的，但是，至于我们的道德体系究竟是如何维续这种行动秩序的，我们却实在是知之甚少[49]。再者，由于我们认为我们的社会秩序乃是以一种我们只在部分上理解的规则传统为基础的，**所以一切进步也都必定是以传统为基础的**。我们必须立足于传统，而且对于传统的产物，我们也只能略做调整而已[50]。只有当我们认识到某项特定的规则与我们所拥有的其他道德信念发生冲突的时候，我们才有正当理由去否弃该项业已确立的规则。甚至一个打破规则的人在创新方面获得的成功以及那些效仿该成功者的人对他的信任，也都不得不以他在严格遵循绝大多数现行规则的过程中所赢得的敬意作为基础。为了获取合法性，新的规则就必须得到整个社会的认可——当然，这种认可并不是通过正式投票的方式表现出来的，而是通过人们在行动中渐进地接受这项新规则的方式表现出来的。毋庸置疑，我们必须不断地考察和检视我们的规则并随时准备对它们当中的任何一项规则提出质疑，但是我们却始终只能根据它们与整个规则系统中的其他规则是否一致或相容的标准来展开这项工作，也就是看它们在帮助型构所有其他的规则都为之服务的那种整体行动秩序的方面是否有效[51]。据此我们可以说，行为规则肯定有改进的余地，但是我们却不能对它们进行重新设计，而只能够进一步推进它们的演化和发展,尽管我们对此进程并不完全理解。

道德规范相继发生的那些变化,因而不是一种道德的沦丧,而是自由人组成的开放社会得以兴起的一个必要条件,尽管它们常常会伤害人们继受来的那些情感。人们对于这个问题的含混认识,最明显地表现在这样一个方面,即人们通常都把“利他的”(altruistic)与“道德的”(moral)这两个术语等而视之[52],而且还(尤其是社会生物学家们[53])不断地把“利他的”这个术语滥用来指称那种令行动者本人感到不快或对他有害但却对社会有益的行动。伦理并不是一个选择的问题。我们不曾设计过伦理,也没有能力设计它。或许,我们的先天性本能只表现为我们害怕我们的同胞对我们的言行表示不满。事实上,我们经由学习而遵循的那些规则,乃是文化进化的结果。我们可以通过寻求调和规则系统内部的冲突或它与我们感情之间的冲突而努力改进我们的规则系统,但是本能或直觉却并不能使我们拒绝遵循现行道德规范系统所提出的某项特定要求,而且也只有当我们认真负责地把该项要求当做由其他要求构成的系统中的一部分加以评判的时候,我们才可能使违反该项特定规则的行为获得道德上的合法性。

然而,就当下的社会而言,根本就不存在什么“自然的善”(natural goodness),因为依凭人的先天性本能,人是绝不可能营造出作为现有人口生存之基础的文明的。为了能够建造出这样的文明,人们就不得不割舍许多对于小群体来说是好的情感,而且还不得不做出自由之规训要求人们做出的种种牺牲——尽管他们痛恨做出这类牺牲。抽象的社会乃是以习得的规则为基础的,而不是以追求那些即时性可欲的共同目的为基础的:仅为熟人做好事,不可能使整个社会获得最大的益处,而唯有遵循该社会中所盛行的那些抽象且目的不涉的规则才可能使整个社会获得最大的益处。然而,遵循抽象规则却甚难满足我们所具有的那些根深蒂固的情感；或者说，只有当这种做法使我们赢得我们同胞的尊敬的时候，它才能满足我们的这种情感[54]。

进化、传统和进步

到目前为止，我一直都小心翼翼地避免把进化（evolution）与进步（progress）视作是一回事。但是，在我们明确知道正是传统的进化使得文明成为可能以后，我们至少可以说，自生自发的进化乃是进步的一项必要条件，即使不是一项充分的条件。显而易见，这种自生自发的进化产生了许多我们不曾预见而且在我们见到它们时不会喜欢的东西，但是这种进化也确实给越来越多的人带来了他们长期以来一直在追求的东西。我们之所以常常不喜欢这种进化，实是因为伴随着这些新的可能性的出现，还始终会产生一种新的戒律或规训。在很大程度上讲，人乃是在违背自己意愿的情况下而变得文明起来的。当然，这是人们在过去为了能够养活更多的孩子而必须付出的代价。我们特别厌恶经济性的规训（economic disciplines），而且经济学家也常常被指责为过高估计了经济在此一进化过程中的重要性。自由社会不可或缺的那些规则确实向我们提出了许多令人不快的要求，例如要求我们承受来自其他人的竞争，要求我们看着并承受其他人比我们更富有的情形，等等。但是，如果有人认为经济学家是想把所有的东西都用来服务于经济目的的话，那实是一种误解。严格来讲，任何终极目的都不是经济性的目的，而且我们追求的那些所谓的经济目的至多也只是些居间性的目的（intermediate goals）：这些居间性目的告诉我们，为了实现那些在终极意义上并非经济性的目的，我们应当如何向其他人提供服务[55]。再者，正是市场这种规训迫使我们进行计算,也就是说,迫使我们对我们在追求自己目的的时候所使用的资产进行负责。

颇为遗憾的是,社会效用并不是根据任何一项正义原则进行分配的。这是因为如果要根据正义原则进行分配,那么我们就唯有一途可循,那就是让某个权力机构来实施这样的分配:向特定的个人分派具体的任务,并根据他们在执行命令的时候所表现出来的效忠程度和卖力程度来奖赏或酬报他们,但是同时却剥夺了他们为了实现自己的价值而运用自己知识的机会。任何试图使不同服务的酬报与我们所具有的那种原始的分配正义观念相符合的努力,都必定会使我们无法有效地运用那些分散的个人知识,而且还注定会摧毁我们所说的那种多元社会(a pluralistic society)。

我并不否认,进步的速度也许快得超过了我们所希望的程度,而且如果进步的速度慢一点,那么我们也许能够更好地消化或适应这种进步。然而,颇为遗憾的是,**进步是不能够按量调配的**(经济增长也同样是不能够按量调配的!)。就此而言,我们只能为进步创设一些有利的条件,并希望获得最好的结果[56]。虽说人们可以通过政策来促进或抑制进步的速度,但是任何人都无力对实施这类政策措施的结果做出准确的预测。在我看来,任何自称知道进步之可欲方向的人,都是狂妄自负之徒。受指导的进步,就不是进步。所幸的是,文明已然摆脱了集体控制的可能性,否则我们极可能把文明扼杀掉。

我已听到一些当代的知识分子对这类强调传统的观点所做的抨击,而他们使用的杀手锏便是把这些观点统统称之为"保守思想"(conservative thinking)。但是,在我看来,使以往的进步成为可能并且还会使未来的进步成为可能的因素,无疑就是那些有助于使某些特定的群体强大起来的道德传统,而不是智识上的设计。把进化局限在我们所能预见到的范围之内,肯定会终止进步。因此我们可以说,正是自由市场所提供的那种有利的框架,才使得更好的新情势有了发生的机会。但是出于种种原因,我无法在这里对这种框架做进一步的讨论了。

建构新的道德规范以服务于旧有的本能:马克思

整个唯社会论都是那种复活原始本能之趋势的结果,虽说大多数唯社会论理论家都十分精明,他们不至于自欺欺人地认为,在大社会中,旧有的本能仍能够通过重新确立那些曾经支配原始人的行为规则而得到满足。因此,这些理论家便加入到与之相反的阵营之中,致力于建构新的道德规范以服务于人的旧有本能。

只要我们对卡尔·马克思认定资本主义生产"混乱不堪"的原因进行探究,那么我们便可以极为清楚地认识到,马克思究竟在多大程度上完全没有意识到适当的个人行为规则促使大社会秩序得以型构的那种方式。当然,正是马克思的劳动价值论(labour theory of value),致使他无法认识到价格所具有的那种信号功能——实际上,正是经由价格所具有的这种传递信息的作用,人们才会知道自己应当做什么事情。马克思试图探寻价值的物理性原因(physical cause),结果毫无所获,因为这使他把价格视作是由劳动成本决定的——亦就是由人们在过去的所作所为决定的,而未能把价格视作是一种会告知人们为了能够卖掉他们自己的产品而必须做什么事情的信号。结果,直到今天,马克思主义者还完全无法理解那种自我生成的秩序,或者说,完全无法认识到一种不具有任何决定其方向之规律的优胜劣汰性进化过程是如何能够形成一种自我指导的秩序(self-directing order)的。实际上,中央的指令根本就不可能激励个人持续不断地根据千百万其他人对各种事件所掌握的日益变化的知识做出调适，因而也无法实现有效的社会劳动分工。

然而，如果说社会正义这个幻想早晚必定会破灭的话[57]，那么唯建构论道德观念中最具破坏性的因素便是平均主义(egalitarianism)了——当然，我们不能把这种平均主义也怪罪于卡尔·马克思。平均主义之所以最具破坏性，不仅是因为它无法向个人提供任何信号(这种信号仅凭其自身的作用便能够为个人提供一种选择自己努力方向的机会)，更是因为它扼杀了一种能够促使自由的人们去遵循道德规则的激励因素：他们的同胞给予他们的不同程度的尊敬。众所周知，一个自由社会的基本预设是，人们必须根据同样的规则来审判和对待所有其他的人(亦即法律面前人人平等)；然而，这种预设却完全不同于这样一种要求，即政府应当以不同的方式来对待不同的人，进而把他们置于同样的物质地位上。需要指出的是，人们之所以从遵循前者转向主张后者，实是因观念混淆所致。但是，囿于种种原因，我却无法在这里对这种可怕的观念混淆问题进行仔细的分析。对于那种必定会用强制性权力来决定工作分派和收入分配的唯社会论制度来说，上述那种以不同方式对待不同的人的原则很可能是唯一的“正义”规则。平均主义的分配方式必定会导致这样两个结果：一是把个人决策(即他应当以何种方式把自己融入普遍行为模式之中的决策)的整个基础摧毁掉；二是把赤裸裸的命令作为整个秩序的唯一基础。

值得我们注意的是，正如道德观点会创生相应的制度一样，制度也会催生相应的道德观点。此外，一如前述，在当下盛行的无限民主制度中，那种实施平均主义分配措施的权力还酿成了为特定群体谋利的必然性。而正是在这种制度中，政府甚至都不得不向一些肯定会摧毁所有道德观念的要求做出让步。尽管唯社会论的实现会使私人道德行为的范围大大萎缩，但是值得我们注意的是，满足大群体所提出的各种要求的政治必然性却注定会使所有的道德观念都蒙遭沦丧和毁灭。

不同的人会因为其遵循公认的道德标准的程度不同而受到其同胞的不同的评价。因此，这种不同的评价构成了所有道德观念的基础。正是这一点把道德行为变成了一种社会价值。就像一个社会中普遍盛行的所有行为规则一样（对这些行为规则的遵循乃是个人成为社会成员的条件），要使人们接受这些道德观念，就必须把它们平等地适用于所有的人。这意味着，道德观念要得到维护，还必须对遵循道德观念的人与不遵循道德观念的人做出区分，而不论特定的人为什么要违反这些道德观念。**道德观念乃是以追求出类拔萃并且承认某些人在这个方面比其他人更成功为预设的，但却并不要求我们对那些我们永远都无法知道的原因进行追究**。那些遵循规则的人之所以被认为是更好的，实是因为他们与那些不遵守规则的人相比具有更优的价值，因此，遵循规则的人也就不愿意把那些不遵守规则的人接纳到自己的圈子里面去。做不到这一点，道德观念就无法存在下去。

如果人们不可以把那些经常违反道德规则的人从遵循道德规则者的体面生活圈子里驱除出去，甚或人们不得制止自己的孩子与那些有坏习惯的人混在一起，那么道德规则是否还有可能得到维护呢？对此我甚感怀疑。正是由于群体之间的彼此分立以及它们在接纳人的原则方面不尽相同，对道德行为的赞同才可能具有意义。民主的道德观念可能需要以这样一个前提为基础，即一个人的言谈举止必须诚实正派，除非他证明不这样做是有道理的——但是民主的道德观念却无法做到这一点：在要求我们不遵循基本的自由规训的同时仍能够使道德信念得到维护。

一个有良知且有勇气的人在偶然的情况下也许会决意冒犯公众舆论并无视某项他认为是错误的特定的道德规则,但是这种做法却必须以此为条件,即他能够通过认真遵循所有其他的道德规则来证明他在一般意义上对社会中盛行的那些道德规则是极其尊重的。但是,如果有人因为公认的道德规则缺乏不言自明的正当性理据而从整体上置这些道德规则于不顾,那么这种做法就不只是毫无道理的,也是不容原谅的。这是因为判定特定规则的唯一依据,便是这些规则与人们普遍接受的大多数其他规则是否相容或是否冲突。

人们所处的环境能够把一些人变坏,这当然是很糟糕的事,但是这并不能改变这样一个事实,即他们是坏人而且也必须被当做坏人来对待。一个决心悔改的坏人也许会得到宽恕,但是只要他继续违反道德规则,那么他就注定只能是一个遭人蔑视的社会成员。罪行未必是贫困的产物,因而也就不能用环境来为罪行开脱。许多穷人要比许多富人诚实得多,而且中产阶级的道德规范从一般意义上讲也很可能要比富人所具有的道德规范好得多。但是无论如何,从道德上来说,一个违反规则的人必须被视作是坏人,即使他对这些规则知之甚少。此外,一个人为了被另一个群体所接纳而常常要学习许多东西,这在很大程度上是件好事。甚至对个人的道德赞许也不是以其意图而是以其表现为基础的,而且也必须以此为基础。

在一种由群体选择(group selection)所形成的文化中,实施平均主义原则肯定会扼杀文化的进一步进。平均主义当然不是一种多数观点,而是政府在无限民主制度中必须谋得人们的支持(甚至是必须求得最坏的人的支持)而造成的一种结果。自由社会所信奉的一项不可或缺的原则认为,我们必须根据人们的行为是否合乎道德而对他们做出不同的评价，而不论他们的行为未能合乎道德的原因是什么（因为人们永远都无法完全搞清楚个中的原因），但是平均主义所宣扬的却是任何人都不可能比其他人更好。平均主义对此的论辩是，一个人之所以成为这个样子，并不是任何人的过错，而是“社会”的责任。正是凭着“这不是你的过错”（it is not your fault）这个口号，才使得那些煽动无限民主的宣传在一种唯科学主义心理学（a scientistic psychology）的推波助澜下渐渐得到了那些要求分享社会财富而又不服从该社会赖以存在之规训的人的支持。文明之所以得到维续，绝不是因为它向那些违反规则的人赋予了“一种得到平等关注和尊重的权利”[58]。因此，为了维续我们的社会，我们既不能把所有为人们同样信奉的道德信念都视作是具有同等合法性的道德信念，也不能承认任何血亲复仇权、杀婴权甚或偷窃权，更不能承认任何其他与我们的社会运行赖以为基础的那些道德规范相违背的道德信念。一个个人之所以能够成为社会一员并获得权利，实是因为他服从该社会的规则。一个个人持有与我们完全相反的观点，也许能使他在其他的社会里赢得权利，但却不能在我们的社会里获得权利。对于人类学来说，所有的文化或道德规范可能都是一样好的，但是我们却是通过把其他的文化或道德视作较差者的方式来维续我们的社会的。

正是通过充分运用人类个体的无限多样性，我们的文明才蒸蒸日上。显而易见，人的多样性要比任何一种野生动物的多样性都大[59]，因为野生动物一般来说都不得不去适应一种特定的生态环境。一如我们所知，文化业已提供了各种各样的文化环境，而且也正是在这些不尽相同的文化环境当中，人们所具有的那些无限多样的天赋或后天习得的智慧才能够得到运用。再者，如果我们想利用那些生活在世界上不同地区的个人所拥有的显著不同的事实性知识,那么我们就必须允许个人通过市场的非人格信号去获得信息,进而知道(为了他们的个人利益也是为了普遍利益)他们如何才能最好地运用这类信息。

人类之所以能够取得如此迅速的发展,最重要的原因便是个人天赋有着罕见的多样性。因此,如果人类居然想用一种扼杀个人天赋多样性的方式(亦即把一种强制性的平均主义方案强加给所有的人的方式)去终止其自身的进化进程,那真是开了一个大大的历史玩笑,而且还是一个悲剧性的历史玩笑。

用科学的谬误去摧毁不可或缺的价值:弗洛伊德

最后,我还要对那种用科学的谬误去不断地摧毁那些不可替代的价值的现象展开讨论。多年以来,这不仅越来越成了我主要关注的一个问题,而且也成了我深感担忧的原因之一[60]。显而易见,对那些不可替代的价值所做的抨击并不都出自唯社会论者,尽管我在这里所必须探讨的那些谬误大多都会导向唯社会论。实际上,唯社会论乃是从哲学、社会学、法学和心理学等相互关联的领域中所产生的各种纯粹的智识谬误那里得到支持的。在上述哲学、社会学和法学三门学科中,这类谬误大多源出于奥古斯特·孔德(Auguste Comte)所阐发的那种笛卡尔式的唯科学主义和唯建构论[61]。逻辑实证主义长期以来一直都在努力证明,所有的道德价值都是"毫无意义的"(devoid of meaning),甚至是纯粹"情感的产物"(emotive)。此外,逻辑实证主义还完全无视这样一种观念:由生物的进化或文化的进化选择出来的那些情感性的回应方式,对于一个发达社会的凝聚力来说具有至高无上的重要意义。再者,从唯科学主义和唯建构论渊源中衍生出来的那种知识社会学(the sociology of knowledge),也试图以同样的方式贬损所有的道德观念,因为它声称这些道德观念的捍卫者乃是为了他们自己的利益而主张这些观点的。

尽管我们必须对社会学家所做的某些描述性工作表示感激——也许人类学家和历史学家也同样有资格获得这种敬意,但是,在我看来,除了那些对特定类型的自然现象或社会现象进行研究的理论学科(theoretical disciplines)以外,无论是一门有关社会学的理论学科还是一门有关自然学(naturology)的理论学科,都是毫无道理可言的。就此而言,我可以相当肯定地指出,那种主张人们应当凭靠自己的力量去建构社会[行为主义者斯金纳(B. F. Skinner)的观点就极为典型,因为他在今天就是用这些术语重新确认这个观点的]的知识社会学,完全误解了知识增长的过程。我在本书的前此章节中便已力图指出,法律实证主义无论是从观念上讲还是从历史上来看都是错误的,这是因为法律实证主义认为:第一,每一项法律规则都必定是从某一有意识的立法行为中推演出来的;第二,所有的正义观念都是特定利益的产物[62]。

然而需要指出的是,精神病学者试图通过释放病人之先天本能的方式去医治病人而做的种种努力,对于文化有着最大的破坏力。我曾在前文赞扬过我的维也纳朋友波普尔、洛伦茨、贡布里希和贝特朗菲,但是我现在却不得不承认,虽说卡尔纳普的逻辑实证主义和凯尔森的法律实证主义是极其错误的理论,不过它们还远不是源自维也纳的最糟糕的学说。通过对教育所造成的深刻影响,西格蒙德·弗洛伊德(Sigmund Freud)很可能成了文化的头号破坏者。尽管在他的晚年,亦即在他所撰写的《文明及其不满》(*Civilisation and its Discontents*)[63]那本书中,他本人也似乎对他自己的学说所产生的某些影响感到了很大的不安,但是他的那个基本目标(亦即消除那些从文化上习得的抑制因素并释放出先天的本能)还是为某些人对整个文明之基础进行最为致命的攻击铺平了道路。对文明展开的这场攻击运动大约在30年前就已经达到了高潮,而且自那时成长起来的一代人在很大程度上也都是在这场运动所产生的各种理论的熏陶下长大的。就当时的情形而言,我在这里只能给读者提供一位论者对精神分析学派的基本观点所做的一种特定的表述。这位论者就是在当时极具影响的加拿大精神病学家奇泽姆(G. B. Chisholm)博士,后来他还担任了世界卫生组织的首任秘书长。已故的奇泽姆博士曾在1946年出版了一本著作,并受到了美国法律界权威人士的高度赞扬。他在这部著作中主张:

> 我们应当根除那种一直被人们视作儿童教育之基础的是非观念,并且应当用智性的、理性的思维来取代人们对前人所肯定的诸多确然之事的盲目信任,(……因为)大多数精神病学者和心理学家乃至许多其他值得尊敬的人士都是在摆脱了这些道德枷锁以后才获得自由观察和独立思考的能力的。

他认为,把人类从"那种区分善恶的禁锢人之能力的负担"和"颠倒黑白的是非观念"中解放出来并由此来决定人类不久之未来的境况,实是精神病学家的使命之所在[64]。

我们现在所收获的正是他们当年播撒的那些种子所结出的果实。一些人不仅声称自己是从某种他们不曾学习过的东西中异化出来的,而且还宣称要全力建构一种"反文化"(a counter-culture)。这些不受驯化的野蛮人,实是放纵式教育(the permissive education)的必然产物,因为这种教育不仅没有把文化的责任传递给后人,而且还独尊**野蛮人所具有的那种自然本能**。据 The Times 报道,晚近举行的一次由高级警官及其他专家参加的国际会议承认,当今的恐怖主义分子当中有相当一部分人学过社会学或政治科学和教育科学[65]。当然,当我获知这个消息的时候,我丝毫没有感到诧异。这是因为在当时,也就是那一代人成长起来的50个年头中,英语世界的思想舞台实是由一些公开宣称自己从来就是而且还将继续是不道德主义者(immoralist)的人物所支配的。因此,对于从这样一种思想背景中成长起来的一代人,我们究竟还能指望什么呢?

实在令人感到欣慰的是,在这股思想洪流还未能最终冲垮我们的文明之前,社会中便出现了一种抵制的力量,甚至在该思潮发源的领域内部也出现了一种反叛的力量。三年前,美国西北大学的唐纳德·坎贝尔(Donald Campbell)教授在向美国心理学会所做的题为"生物进化与社会进化之间的冲突"("The Conflicts between Biological and Social Evolution")的主席就职演讲中就曾明确指出:

> 如果说在当今的心理学领域中,一如我所宣称的那样,还存在着一个一般的背景性假设,即由生物进化所产生的人的冲动无论从个体角度还是从社会角度来看都是正确的和最可欲的,而那些压抑性或抑制性的道德传统则都是错误的,那么依我个人之见,亦即从一种大科学的视角(the enlarged scientific perspective)来看,这一假设现在却可以被视作是一种科学上的谬误;而这种大科学视角则源自于对人口遗传(population genetics)与社会系统进化

(social system evolution)的综合考察。……实际上,我们还没有充分理解那些可能具有无比重要价值的社会—进化的抑制性系统(social-evolutionary inhibitory systems),但是心理学却可能正在成为侵损那些抑制性系统的帮凶[66]。

在做出上述阐述以后,坎贝尔教授又补充指出道,"因此,在为心理学和精神病学吸纳新学者的时候,也许应当挑选那些特别渴望向文化正统论提出挑战的人士"[67]。从坎贝尔教授这个演讲所引起的震动中[68],我们完全能够洞察到上文所述的那些观点在当代心理学理论中的根基是何等的深厚。此外,叙拉古大学的托马斯·萨斯(Thomas Szasz)教授[69]和本国的艾森克(H. J. Eysenck)教授也做出了与坎贝尔教授类似的颇具助益的努力[70]。因此我们可以说,希望尚未完全破灭。

局面的扭转

只有当我们的文明否弃了上述那些谬误的时候,它才有可能逃离劫难而存续下去,而如果我们的文明得以存续下去的话,那么我相信我们的后人在回顾历史的时候,会把我们这个时代视作是一个迷信的时代(an age of superstition)。换言之,我相信他们会发现,那些被人们广为接受的支配着20世纪的观念都是以严格意义上的迷信为基础的,而这些观念包括:通过正义分配方案来实施计划经济;把我们自己从抑制性规则和传统道德规范中解脱出来(也就是以放纵式教育作为通向自由的路径);用某个拥有强制性权力的机构所做的理性安排来取代市场。一个迷信的时代,实际上就是人们想象自己知道的比自己实际知道的要多的那种时代。在这个意义上讲,20

世纪肯定是一个十足的迷信时代,其原因就在于人们高估了科学业已取得的成就。所谓人们高估了科学业已取得的成就,并不是说人们高估了科学在相对简单现象的领域中所取得的成就(因为在这个领域中,科学当然取得了巨大的成功),而是意指人们高估了科学在复杂现象的领域中所取得的成就。因为事实业已表明,把那些在相对简单现象的领域中被证明为大有助益的技术也同样适用于复杂现象领域的做法,是极具误导性的。

颇具讽刺意味的是,这些迷信在很大程度上乃是我们从理性时代(the Age of Reason)继承下来的遗产所造成的一个结果,然而在过去,“理性时代”却是它自己所认定的一切迷信的大敌。如果说“启蒙时代”(the Enlightenment)发现了人们在以往的智识建构中太过小视了人之理性的作用的话,那么我们现在发现,我们这个时代为理性所设定的建构新制度的任务却实在是太重太大了。众所周知,唯理主义时代(the age of rationalism)——以及现代的实证主义(modern positivism)——把那些因偶然因素或人的突发奇想而形成的构造物都视作是毫无意义的和荒谬的,然而正是这些构造物,结果却在许多方面被证明是我们理性思考能力赖以依凭的基础。**人不是而且也永远不会是他自己命运的主宰,因为人的理性乃是通过把他引向他可以习知新东西的未知且未可预见的境况之中的方式而持续不断地取得进步的。**

在结束这篇跋文的时候,我越来越意识到,这不应当是终结而更应当是一个新的开端。然而,我却不敢奢望说这对我还可能是一个新的开端了。

【注释】

[1] New York, 1977 and London, 1978.

[2]参见他所撰写的不朽著作:*Sociobiology*,*A New Synthesis*(Cambridge,Mass.,1975 and London,1976);就一种更为通俗的阐释,请参见 David P. Barash,*Sociobiology and Behaviour*(New York etc.,1977)。

[3]C. E. Pugh,上引书,pp. 33 and 341;也请参见该书第 33 页的论述:"首要的价值决定着个人在驱动之下所会采纳的次要标准的类型。"

[4]Huxley 所撰写的具有开拓性的著作:*The Courtship of the Great Crested Grebe*(1914),后来在 1968 年重版(London),并由 Desmond Morris 作序。

[5]K. Z. Lorenz 论著当中最为知名的著作是 *King Solomon's Ring*(London,1952).

[6]N. Tinbergen,*The Study of Instinct*(Oxford,1951).

[7]尤请参见 I. Eibl-Eibesfeld,*Ethology* (2nd edn,New York,1975),特别是 Wolfgang Wickler 和 Uta Seibt,*Das Prinzip Eigennutz*(Hamburg,1977)。但是,在我写完这部著作正文的时候,还没有读到这两本著作。与此同时,我还应当提及 Robert Ardrey 所撰写的那些具有原创性的但却尚未得到人们充分关注的著作,尤其是他的近作:*The Territorial Imperative* (London and New York,1966)以及 *The Social Contract*(London and New York 1970)。

[8]比如说,读者还可以参见 Desmond Morris,*The Naked Ape* (London,1967),导论:"(人的)古老的冲动在自己身上存在了千百万年,而他的新的冲动则顶多也只有几千年的历史。"但是,传递或传播习得的规则的历史很可能有几十万年!

[9]参见拙文"Dr Bemard Mandeville",*Proceedings of the British Academy*,LⅡ,1967,并重印于拙著 *New Studies in Philosophy*,*Politics*,*Economics and the History of Ideas*(London and Chicago,1978)。

[10]正如我曾有机会在论及 C. D. Darlington 著作(亦即 D. Darlington,*The Evolution of Man and Society*, London, 1969)的时候所指出的那样,载于 *Encounter*, February 1971,重印于拙著 *New Studies in Philosophy*,*Politics*,*Economics and the*

History of Ideas（London and Chicago, 1978）。

[11] L. T. Hobhouse, *Morals in Evolutionary*（London, 1906）以及 M. Ginsberg, *On the Diversity of Morals*（London 1956）.

[12] J. S. Huxley, *Evolutionary Ethics*（London, 1943）.

[13] A. M. Carr Saunders, *The Population Problem, A Study in Hwnan Evolution*（Oxford, 1922）.

[14] C. H. Waddington, *The Ethical Animal*（London, 1960）.

[15] G. G. Simpson, *The Meaning of Evolution*（Yale University Press, 1949）; T. H. Dobzhansky, *Mankind Evolving: The Evolution of the Human Species*（Yale University Press, 1962）以及"Ethics and values in biological and cultural evolution", *Zygon*, 8, 1973. 又请参见 Stephen C. Pepper, *The Sources of Value*（University of California Press, 1953）, pp. 640 ~ 56.

[16] D. T. Campbell, "Variation and selective retention in soeio-cultural evolution", 载于 H. R. Barringer, G. I. Blankstein 和 R. W. Mack (eds), *Social Change in Developing Areas: A Reinterpretation of Evolutionary Theory* (Cambridge, Mass., 1965); "Social attitudes and other acquired behavior dispositions", 载于 S. Koch (cd.), *Psychology: A Stay of a Science*, vol. 6, *Investigations of Man as Socius*（New York, 1963）。

[17] 长期以来，我越来越相信，笛卡尔哲学的影响乃是妨碍人们更好地理解持续性的复杂结构所具有的自我调整过程的主要障碍。我没有料到，我的这个信念竟然得到了一位法国生物学家所写的报告的确认。他在这份报告中指出，正是笛卡尔式的唯理主义在法国酿成了对达尔文进化论的"持久顽强的抵制"。见 Ernest Boesiger, "Evolutionary theory after Lamarck", 载于 F. J. Ayala 和 T. Dobzhansky (eds), *Studies in the Philosophy of Biology*（London, 1974）p. 21。

[18]“文化创造了人”这个命题最早是 L. A. White 在他出版的 *The Science of Culture*（NewYork,1949）与 *The Evolution of Culture*（NewYork,1959）这两部著作中提出的,但是他的这个命题却因他相信“进化的规律”而遭到了破坏。我们需要指出的是,相信选择性的优胜劣汰进化与相信进化的规律之间毫无关系可言。相信选择性的优胜劣汰进化,所设定的只是一种机制的运行,而该机制运行的结果则是完全以该机制在其间运行的未知的边际条件为基础的。我根本就不相信有进化的规律存在。规律使预测成为可能,但是优胜劣汰过程所产生的结果却总是以未预见的情势为基础的。

[19]见我的演讲:“Dr Bemard Mandeville”,重印于拙著 *New Studies in Philosophy, Politics, Economics and the History of Ideas*（London and Chicago,1978,pp. 253 ~ 254）以及本书第一卷第 20 页。

[20]参见 Richard Thurnwald（他是一位著名的人类学家而且早先还师从过经济学家 Karl Menger）,“Zur Kritik der Gesellschaftsbiologie”,*Archiv Fur Sozialwissenschaften*,52,1924,以及“Die Gesaltung der Wirtschaftsentwicklung aus ihren Anfangen herans”,载于 *Die Hauptprobleme der Soziologie, Erinnerungsgabe fur Max Weber*（Tubingen,1923）。在这两篇论文中,他提到了 Siebung,并用它与生物优胜劣汰过程形成对照,尽管他只是把这个术语用来指称个人的优胜劣汰,而非制度的优胜劣汰。

[21]请见我们在本书第一卷第 163 页注释[7]中给出的参考资料。

[22]人们一般都认为是 Alister Hardy 爵士在他所撰写的极富启示性的著作 *The Living Stream*（London,1966）中首先指出了文化会对生物进化产生这种反作用的观点;不过我的阅读却很难使我相信真的是他首先指出了这一点。但是,如果这是真的,那么这就是一项具有决定性意义的重大突破。

[23]E. H. Gombrich, *In Search of Cultural History*（Oxford,1969）,p. 4,并参见 Clifford

Geertz,*The Interpretation of Cultures*(New York 1973),p. 44:“人恰恰是最极端依赖那些在很大程度上超乎遗传因素之外的、身体之外的控制机制(即文化方案)来组织自己行为的动物”;又见该书第 49 页:“所谓独立于文化之外的人性这样的东西,根本就是不存在的……。因为我们的中枢神经系统……在很大程度上是在与文化的互动过程中发展成熟起来的。……总而言之,我们是不完善的动物,而且我们是通过文化来完善我们自己的。”

[24] 见 B. J. Whorf, *Language, Truth, and Reality, Selected Writings*, ed. J. B. Carroll (Cambridge, Mass., 1956), and E. Sapir, *Language: an Introduction to the Study of Speech* (New York, 1921); and *Selected Writings in Lanhuage, Culture and Personality*, ed. D. Mandelbaum (Berkeley and Los Angeles, 1949);以及 F. B. Lenneberg, *Biological Foundations of Language*(New York, 1967)。

[25] 行为规则在遗传上的首位性,当然不像行为主义者相信的那样,意味着我们能够把现在指导我们行为的那种世界模式转变成规则。即使行为的指南是对各种刺激因素的复合体所做的类分序列(这些复合体一直在影响我们不断展开着的心智过程)并能够使一种特定的行为模式得到实施,那么,在我们能够预测行为反应之前,我们仍不得不先对我们称之为的大多数心智过程做出解释。

[26] 我在社会科学领域中的同仁一般都认为我在 *The Sensory Order: An inquiry into the Foundations of Theoretical Psychology*(London and Chicago, 1952)一书中所做的研究是没有什么意思的或难以理解的。但是,对这个问题所做的研究,却对我大有裨益,它帮助我澄清了我心智中许多与社会理论密切相关的问题。我对进化的认识、对自生自发秩序的认识以及对我们努力解释复杂现象的方式与限度的认识,在很大程度上都是我在撰写 *The Sensory Order* 一书的过程中逐渐形成的。的确,我在学生时代对理论心理学研究的结果,对我形成有关社会科学方法论的认识起到了很大的作用;同样,借助于我在社会科学中学到的东

西去澄清并阐明我在早期形成的心理学观点,也对我后来的整个科学研究起到了很大的帮助作用。当时,我的观点在很大程度上背离了那个时候普遍盛行的思想。的确,一个人在21岁的时候要比他在以后的生涯中更有可能这样离经叛道。但是,当我在数年以后把这些观点发表出来的时候,这些观点还是得到了心理学家的尊重,不过他们好像并没有很理解这些观点。又过了25年以后,心理学家们才似乎发现了这本书,参见 W. B. Weimer 和 D. S. Palenno (eds), *Cognition and Symbolic Process*, vol. Ⅱ (New York, 1978),但是我却一点都没有想到行为主义者也会发现我的这些观点,请参见 Rosemary Agonito, "Hayek revisited: Mind as a process of classification",载于 *Behaviorism, A Forum for Critical Discussion*, Ⅲ/2 (University of Nevada, 1975)。

[27] 见 Karl R. Popper 和 John C. Eccles 最近出版的著作:*The Self and Its Brain, An Argument for Interactionism* (Berlin, New York and london, 1977)。

[28] 特别参见 Carsten Bresch, *Zwischenstufe Leben: Evolution ohne Ziel?* (Munich, 1977) 以及 M. Eigen 和 R. Winkler, *Das Spiel, Naturgesetze steuern den Zufatl* (Munich, 1975)。

[29] 见我的演讲:"Dr Bernard Mandeville"。重印于拙著 *New Studies in Philosophy, Politics, Economics and the History of Ideas* (London and Chicago, 1978, p. 250)。

[30] Donald T. Campbell, "Downward Causation in Hierarchically Organized Biological Systems",载于 F. J. Ayala 和 T. Dobzhansky (eds), *Studies in the Philosophy of Biology* (London, 1974)。另请参见 Karl Popper 和 John C. Eccles, *The Self and Its Brain, An Argument for Interactionism* (Berlin, New York and London, 1977)。

[31] 有关在解释复杂的自我维续的结构中适用规律(Law)概念的局限性,可以参见我在拙著 *Studies in Philosophy, Politics and Economics* (London and Chicago, 1967, p. 40 以次)中为"The Theory of Complex Phenomena"一文所写的跋文。

[32]参见 Garret Hardin,"The cybernetics of competition",载于 P. Shepard 和 D. McKinley,*The Subversive Science:Essays towards an Ecology of Man*(Boston,1969)。

[33] Ludwig von Bertalanffy, *General System Theory: Foundations, Development, Applications* (New York,1969),另请参见 H. von Foerster 和 C. W. Zopf Jr(eds), *Principles of Self-Organization*(NewYork,1962);C. J. Klir(ed.),*Trends in General System Theory*(New York,1972);以及 G. Nicolis 和 I. Prigogine,*Self-organization in Nonequilibrium Systems*(New York,1977)。

[34]见 Colin Cherry, *On Human Communication* (New York, 1961), 以及 Noam Chomsky,*Syntactic Structures*(The Hague,1957)。

[35]Roger Williams,*You are Extraordinary*(New York,1967),p. 26 and 37. 那些研究统计学(甚至像人口统计学这样非常重要的统计学学科)的人,并不研究社会。社会乃是一个结构,而不是一个总体现象。它的全部特性都是一种不断变化的秩序或系统所具有的属性;而对这些秩序或系统,我们并没有足够多的抽样使我们能够按照统计的方式去研究它们整体的行为。有人认为,人们只要通过观察这些社会结构中的特定行为或平均行为,就可以在这些结构内部发现恒定的数量关系。我认为,这种观点构成了人们真正理解那些复杂现象的最为可怕的障碍。关于那些复杂现象,我们所能研究的实际上只是其间的少数实例而已。我们在解释这些结构时必须处理的那些问题,乃是与大量实例中的规律毫无关系的。

研究这个论题的真正行家常常能够洞见到这一点。在这个方面读者可以参见 C. Udney Yule,*British Journal of Psychology*,XII,1921/2,p. 107:"如果你不能计量出你所希望的东西,那么你对计量的渴望就只能(比如说)导致你去计量其他的东西——也许还会使你忘记二者之间的区别——甚或还会使你仅因某些东西无法计量而忽略它们。"

颇为遗憾的是,那些对调查课题知之甚少的人却可以轻而易举地习得调查研究的技巧——这些人居然可以通过把握这些技巧而谋到教职,而且这些人的工作后来还常常被误认为是科学。但是我们必须指出的是,如果对理论发展中产生的问题没有明确的认识,那么经验工作一般来讲就只能是对时间和资源的浪费。

试图通过计量不同的人的相对功利或满足程度来为"正当的"行动提供依据乃是极为幼稚的,而且也根本不值得认真对待。当然,如果我们想证明这种尝试是荒唐透顶的,那么我们就必须进行一种多少有些烦琐的论辩,然而在这里着手这项工作却是不合适的。但是可以指出的是,大多数经济学家似乎已经开始认识到,所谓的"福利经济学",从整体上来说乃是完全缺乏科学基础的,尽管所谓的"福利经济学"谎称自己的论证是建立在对可确认的功利进行客观比较的基础之上的。的确,我们中的大多数人都相信自己能够在两个或两个以上的熟人所具有的几项需求中判断出哪项需求更重要一些;但是,这个事实却既不能够证明在这个方面存在着任何客观的判断基础,也无法证明我们能够判断出我们不认识的人的需求中哪项需求更重要。想用这样的幻想来为政府的强制行动提供依据,显然是极为荒谬的。

[36] D. S. Shwayder, *The Stratification of Behaviour* (London, 1965)。仅就这个论题而言,这部著作肯定还应当含有大量颇有助益的信息,只是我还没有能够利用这些信息而已。

[37] 群体选择的观念最早是在下面两个论者的著作中加以采用的:Sewall Wright, "Tempo and Mode in Evolution: A Critical Review", *Ecology*, 26, 1945, and V. C. Wynne-Edwards, *Animal Dispersion in Relation to Social Behaviour* (Edinburgh, 1966);另请参见 E. O. Wilson,上引书, p. 106 ~ 112, 309 ~ 316, and Gerge C. Williams, *Adaptation and Natural Selection, A Critique of Some Current Evolutionary*

Thought(Princeton,1966)以及由他编辑的:*Group Selection*(Chicago/NewYork,1976)。尽管从表面上看,这个观念在今天也许不像它在最早被采用的时候那么重要了,但是毋庸置疑的是,它对于文化进化来说仍是最为重要的。

[38]C. E. Pugh,上引书,p. 267,另请参见 Glynn Isaac 新近发表的论文:"The Food-sharing Behaviour of Protohuman Hominids",*Scientific American*,April 978。

[39]这个过程当然并不总是一个和平的过程。很可能会发生这样的情况:在这个发展的过程中,较为富裕的城市居民和商人常常会把一项与数量较多的农村人的习俗相悖的法律强加给这些农村人,就像在一个军事集团实施征服以后,一个军事土地贵族集团也会在封建时代把一项从经济进化之更为原始的阶段遗存下来的法律强加给城市人一样。这也是这种过程的一种形式,而借助于这种形式,那种以更强有力的手段组织起来的社会(它能够用战利品或掠夺物的形式作为诱饵来吸引个人)也许会取代一个文明程度更高的社会。

[40]K. R. Popper,*The Open Society and Its Enemies*(5th edn,London,1966),Vd. I,pp. 174 ~ 176.

[41]这些倾向的怀旧特征已由 Bertrand de Jouvenel 给出了特别精彩的描述。请参见本书第二卷第 182 页所征引的他在 *Sovereignty* 一书中的一段文字(Chicago,1957,p. 136)。

[42]左派采取的最新诡计是,把古老的自由主义人权传统转变成一些主张特定利益的肯定性要求(就像现代最大的煽动家所创造出来的"免于匮乏的自由"一样)。当然,我在这里所说的自由主义人权传统,所意指的乃是那种限权传统,它既限制政府也限制一些人对个人进行支配。鉴于左派所采取的这项诡计,我们应当在这里强调指出,在一个自由人组成的社会里,集体行动的目标只能是为不确定的任何人提供机会(亦即任何人都能够为了追求自己的目的而加以运用的手段),但却不能够规定任何人都有义务为之服务的具体的全国性目

标。政策的目标应当是为每个人提供一个更好的机会以找到一个更优越的位置,而这种位置反过来又会给每个人提供一种实现自己目的的好机会。当然,这意味着他在其他情况下是得不到这么好的机会的。

[43]参见 David Hume, *A Treatise of Human Nature*, Ⅲ, Ⅱ, ed, L. A. Selby-Bigge, p. 501:"我们最为关切的就是我们的名誉,而我们名誉的最大基础则取决于我们的行为与他人财产权的关系。"我们在这里指出这样一个事实也许是非常适时的(当然在任何其他场合指出这一点也是极为妥适的),即我们在当下能够对经济秩序的进化特性有所理解,在很大程度上要归功于 Annm Alchian 所做的一项创新研究,参见他的"Uncertainty, Evolution and Economics Theory", *Journal of Political Economy*, 58, 1950;后来该文经过修改后又重印于他的著作:*Economic Forces at Work*(Indianapolis, 1977)。这个观念现在已经超出了它最初发生的领域,并得到了广泛传播。Jochem Roepke 在他所撰写的 *Die Strategie der Innovation*(Tubingen, 1977)这部重要且博学的著作中,就人们对这些问题所做的进一步讨论做了极精彩的综合评述,并且提供了一份极为详尽的参考文献目录。颇为遗憾的是,我尚未能够完全领悟这部著作中的观点。

[44]在加尔文之前很久,意大利与荷兰的商业城镇已经实践了那些使市场经济在日后成为可能的规则,而且稍晚一些时候,西班牙的经院哲学家还把这些规则都编纂成典了。就这个问题而言,尤请参见 H. M. Robertson 的著作:*Aspects of the Rise of Economic Individualism*(Cambridge, 1933)。该书出版的时候,正是德国人实际上无法看到这本书的时候,如果不是这样的话,那么这部著作原本是能够一劳永逸地清除韦伯有关新教作为资本主义伦理之渊源的全部神话的。他明确指出,如果有什么宗教影响在当时起作用的话,那就是耶稣会,而不是加尔文之流助长了"资本主义精神"的兴起。

[45]Jean Baechler, *The Origin of Capitalism*, trans. Barry Cooper(Oxford, 1975), p. 77.

[46]参见 M. I. Finley, *The Ancient Economy*(London,1975),pp. 28 ~ 29,以及"Between Slavery and Freedom",*Comparative Studies in Society and History*,6,1964。

[47]参见本书第一卷第 5 章开篇作为警句而征引的古代克里特宪法中的那项规定。

[48]既然人们采纳规则不是因为这些规则所具有的具体结果得到了他们的理解,而是因为实施这些规则的群体取得了成功,那么,巫术与仪式在原始社会居于支配地位的现象,也就不会令人感到奇怪了。一个人被某个群体接纳的条件就是他必须接受该群体的所有规则,尽管几乎没有人知道究竟做什么事情必须取决于人们对某项特定规则的遵守。当时,只有一种公认的行事方式,因此人们无须对有效性与道德可欲性进行界分。如果说历史上有什么事情几乎完全失败了的话,那就是人们对道德规范发生变化的原因的解释。在这些原因当中,说教或鼓吹很可能是最不重要的。但是我们必须承认,这些原因有可能是那些决定人类进化之路径的最重要的因素之一。尽管当下的道德规范是经由优胜劣汰的选择过程进化而来的,但是这种进化却不是通过许可人们去做新的尝试而成为可能的,相反,则是因为严格的限制规定才成为可能的:这类严格的限制规定使得人们不可能改变整个道德系统,而只会容许这样一些人去推翻某些既有的规则——亦即只有当他们自担风险去违反某项规则的时候,并且只有当他们以自己严格遵守绝大部分规则的方式而赢得打破某项规则之容许的时候,他们才可能被证明是开拓者。这是因为严格遵守绝大部分规则本身能够为他们赢得其他人对他们的尊重,而其他人对他们的这种尊重则会使他们按照某个特定方向去变更某项特定规则的尝试变得合法化。所谓社会秩序是政府创造的观点,乃是十足的迷信。当然,这种迷信实际上只是唯建构论谬误的一个臭名昭著的表征而已。

[49]见我的演讲:"Rechtsordnung und Handelnsordnung",载于 *Zur Einheit der Rechts-*

uud Staatswissenschaften, ed. E. Streissler, (Karlsruhe, 1967) 并重印于拙著 *Freiburger Studien*(Tubingen,1960)。

[50]这种观点当然与卡尔·波普尔所说的“点滴且渐进的社会工程”是一回事(*The Open Society and its Enemies*,5th edn,London,1966,Vol. 2,p. 222)。我完全赞同波普尔的观点,尽管我仍然不喜欢他所采用的“engineering”(工程)这个特定的措辞。

[51]参见 Ludwig von Mises,*Theory and History*(Yale University Press,1957)p. 54:

> 正义的终极标准乃是对维续社会合作是否有助益。适于维续社会合作的行为,就是正义的行为,而有损于社会之维续的行为,便是不正义的行为。按照一种专断且前定的正义理念来组织社会的问题,是根本不可能存在的。真正的问题乃在于如何把社会组织起来以求尽可能地实现人们想通过社会合作去达到的那些目的。社会功利乃是正义的唯一标准。社会功利也是立法的唯一指南。

与我愿意接受的那种阐释方式相比较,Mises 的阐释方式呈现出更强的唯理性,但是它还是明确地表达了一个基本的观点。需要指出的是,Mises 当然是一个信奉唯理主义的功利主义者,出于我已给出的种种理由,我不能追随他。

[52]这种含混的认识在现代至少可以说是始自 Emile Durkheim。他的名著 *The Division of Labour in Society*(trans, George Simpson, London, 1933, 特别参见 p. 228)表明,他根本就不理解行为规则造成劳动分工的方式;再者,像社会生物学家一样,他也倾向于把所有有助益于他人的行动都称之为“利他的”行动,而不论行动者本人是否意图有助益于他人甚或是否知道自己这样做会有助益于他人。请将 Emile Durkheim 的观点与 T. Dobzhansky, F. J. Ayala, C. L. Stebbins

和 J. W. Valentine 所写的教科书 *Evolution*(San Francisco,1977,pp. 456 以次)中的鲜明立场进行比较:

在动物中发现的某些种类的行为是合乎道德的或者是利他的,而其他种类的行为则是不道德的和利己的,尽管这些行为是人的行为。……与其他物种不同,人种的每一代人都在继承和传递一套知识、习俗、信念——这些东西都不是作为遗传密码存载在人体基因之中的……因此,这些东西的传递方式也与生物遗传的方式颇为不同……也许在长达约两百万年的时间里,文化变化越来越胜过或优于遗传上的变化。

另请参见他们在这一背景中征引的 G. G. Simpson 所写的一段文字,载于 G. G. Simpson, *This View of Life*(New York,1964):

除了对人以外,对任何动物谈论伦理,都是毫无意义的……讨论伦理真的是毫无意义可言的。诚然,人们可以说,伦理概念是毫无意义的,除非以下述限制为条件:(1)存在着可供选择的行为方式;(2)人们有能力从伦理的角度来判断这些可供选择的行为方式;(3)人们可以自由地选择他自己认为伦理上好的行为方式。除此之外,还须重申一点,即伦理的进化作用取决于人所具有的预见其行为后果的那种能力,至少从程度上讲,人的这种能力是其他动物所没有的。

[53]见 E. O. Wilson,上引书,p. 117:

当一个人(或动物)以其自己的适应性为代价去增进他人的适应性的时

候,他就可以被视作是做了一种利他的行为。为了子女的利益而做出的自我牺牲,乃是通常意义上的利他主义,而不是严格遗传意义上的那种利他主义,因为个人的适应性乃是以存活下来的子女的数量加以衡量的。但是,为了父母堂兄弟姐妹所生的子女而做的自我牺牲,却在这两个层面上都是真正的利他主义;而且当这种自我克制的行为指向完全陌生的人的时候,这种行为也太令人惊奇了(也就是说太"崇高了"),因此需要做某种理论上的解释。

另请参见 D. P. Barash,上引书,他甚至发现了"利他的病毒"(p. 77)以及 R. Trivers,"*The evolution of reciprocal altruism*",*Q. Rev. Biol*,46,1971。

[54]如果对当下市场经济秩序的维续,真的像 Daniel Bell 和 Inving Kristol(eds)在 *Capitalism Today*(New York,1970)一书中实际上所认为的那样,取决于人们从理性上认识到某些规则乃是维续社会的劳动分工不可或缺的,那么市场经济这种秩序就注定会完蛋。费心且努力从理性上去认识这些规则的人始终只是极少数人,而唯一能够教导人们的人,亦即那些通过写作和教育的方式去教导大众的知识分子,也肯定只有极少数会去做这种努力的。

[55]见 Lionel C. Robbins,*An Essay on the Nature and Significance of Economic Science*(London,1932)。

[56]文化与进步密不可分,这一点也许会令人感到遗憾。但是,维续文化的那些力量,却同样驱使我们进步。适用于经济学的道理,一般来讲也可以适用于文化:它不可能静止不变,一旦它停滞不前,那么它即刻就会衰落。

[57]特别参见 H. B. Acton,*The Morals of the Market*(London,1971)。

[58]Ronald Dworkin,*Taking Rights Seriously*(London,1977),p. 180.

[59]见 Roger J. Williams,*Free and Unequal*:*The Biological Basis of Individual Liberty*(University of Texas Press,1953),pp. 23 and 70. 另见 J. B. S. Haldane,*The*

Inequality of Men(London 1932);P. B. Medawar,*The Uniqueness of the Individual*(London,1957),和 H. J. Eysenck,*The Inequality of Man*(London,1973)。

[60]当我首次在我发表的演讲"The Moral Element in Free Enterprise"(1961)中使用这种说法之前,我已经为考虑这个问题花去了一些时间。该演讲已重印在拙著 *Studies in Philosophy*, *Politics and Economics* (London and Chicago, 1967), p. 232。

[61]我现在倾向于把 19 世纪的唯科学主义以及与之相关的观点称之为唯建构论。关于这种唯建构论在 19 世纪的发展史,请参见拙著:*The Counter-Revolution of Science*:*Studies in the Abuse of Reason*(Chicago,1952)。

[62]参见本书第二卷第八章。按照 H. L. A. Hart(*The Concept of Law*, Oxford University Press,1961,P. 182)的定义,"古典自然法理论"认为,"在人类世界中,存在着一些特定的人的行为原则(它们有待人之理性的发现);如果人造法想有效,那么它们就必须与这些原则相符合"。Hart 认为,在法律实证主义与其对立的理论(亦即"古典自然法理论")之间的对立,实在是人们对"自然的"与"人为的"所做的错误二分法的最明晰的实例之一。当然,法律既不是一种不可改变的自然事实,也不是智识设计的一种产物,而是一种进化过程的结果——在这个进化过程中,规则系统的发展乃是在它同一种变动不居的人之行动秩序不断发生互动的同时得以展开的;当然,这种人之行动秩序与规则系统乃是极其不同的。

[63]Sigmun Freud,*Civilisation and its Discontents*(London,1957),并参见 Richard La Pierre,*The Freudian Ethic*(New York,1959)。作为一个一生都在研究货币理论的学者,我早在 20 年代在维也纳就与马克思主义和弗洛伊德学说进行了智识上的辩争,此后我又涉足了心理学领域。如果说有人要求我对此提供证据以证明包括弗洛伊德在内的那些杰出的心理学家也会对社会现象胡说八道的

话,那么对我来说这个证据就是由 Ernest Borneman 为这些心理学家的某些论文所编选的论文集。这个选集的书名是 *The Psychoanalysis of Money*(New York,1976,它的原版是 *Die Psychoanalyse des Geldes*,Frankfurt,1973),这本选集还在很大程度上说明了精神分析论与唯社会论之间的密切关系。

[64] C. B. Chisholm,"The Re-establishment of a peace-time society",*Psychiatry*,vol. 6,1946. 那个时候文学观点的特征,有点像 Herbert Read 写的书名:*To Hell With Culture*:*Democratic Values are New Values*(London,1941)。

[65] *The Times*,13 April 1978.

[66] Donald T. Campbell,"On the conflicts between biological and social evolution",*American Psychologist*,30 December 1975,p. 1120.

[67] 同上书,p. 1121。

[68] 1975 年 5 月号的 *American Psychologist* 杂志就刊登了 40 页篇幅的文章,对 D. T. Campbell 教授的演讲大加挞伐。

[69] Thonm Szasz,*The Myth of Mental Illness*(New York,1961),除此以外,请特别参见他的著作:*Law*,*Liberty and Psychiatry*(New York,1971).

[70] H. J. Eysenck,*Uses and Abuses of Psychology*(London,1953).

哈耶克主要作品及研究参考文献

邓正来　编

（一）哈耶克主要英文著作及中译本

1. Hayek. *Sensory Order*, Routledge & Kegan Patul, 1952.

2. Hayek. *The Counter-Revolution of Science*, Glencoe: Free Press, 1952.

3. Hayek. *Studies in Philosophy, Politics and Economics*, Routledge & Kegan Paul, 1967.

4. Hayek. *New Studies in Philosophy, Politics, Economics and the History of Ideas*, Routledge & Kegan Paul, 1978.

5. 哈耶克:《个人主义与经济秩序》,邓正来译,三联书店。

6. 哈耶克:《自由秩序原理》,邓正来译,三联书店 1997 年版。

7. 哈耶克:《法律、立法与自由》(三卷本),邓正来、张守东、李静冰译,中国大百科全书出版社 1999 ~ 2000 年版。

8. 哈耶克:《致命的自负》,冯克利、胡晋华等译,中国社会科学出版社 2000 年版。

（二）研究哈耶克的主要参考文献

1. F. Maehlup, ed. *Essays on Hayek*(《哈耶克研究论文集》), London and New

York:Routledge,1977.

2. S. Kresge and L. Wenar, ed. *Hayek on Hayek: An Autobiographical Dialogue*(〈哈耶克论哈耶克〉),London and New York:Routledge,1994.

3. A. Seldon. *Agenda for a Free Society: Essays on Hayek's The Constitution of Liberty*(《自由社会的议程:有关哈耶克〈自由秩序原理〉的论文集》),Hutchinson,1961.

4. E. Streissler, et al., ed. *Roads to Freedom: Essays in Honour of F. A. Hayek*(《通往自由之路:哈耶克纪念文集》),London:Routledge,1969.

5. M. Sandel, ed. *Liberalism and Its Critics*(《自由主义以及对它的批判》),Oxford,1984.

6. A. Arblaster, *The Rise and Decline of Western Liberalism*(《西方自由主义的兴衰》),Oxford,1985.

7. J. N. Gray. *Hayek on Liberty*(《哈耶克论自由》),Oxford,1984.

8. J. N. Gray. *Liberalism*(《自由主义》),Milton Keynes,1986.

9. N. Barry. *Hayek's Social and Political Philosophy*(《哈耶克的社会哲学和政治哲学》),London:Macmillan,1979.

10. N. Barry. *On Classical Liberalism and Libertarianism*(《论古典自由主义与极端自由论》),London:Macmillan,1986.

11. Graham Walker. *The Ethics of F. A. Hayek*(《哈耶克的伦理学》),University Press of America,1985.

12. R. Buffer. *Hayek: His Contribution to the Political and Economic Thought of Our Time*(《哈耶克:他对我们这个时代的政治思想和经济思想的贡献》),London,1983.

13. B. L. Crowley. *The Self, the Individual, and the Community: Liberalism in the Political Thought of F. A. Hayek and Sidney and Beatrice Webb*(《自我,个人和社群:哈耶克、席奈和韦伯政治思想中的自由主义》),Oxford,1987.

14. H. Gissurarson. *Hayek's Conservative Liberalism*(《哈耶克的保守主义自由论》),New York:Garland,1987.

15. C. Kukathas. *Hayek and Modern Liberalism*(《哈耶克与现代自由主义》),Oxford,1989.

16. J. Tomlinson. *Hayek and the Market* (《哈耶克与市场》), London: Pluto,1990.

17. J. C. Wood and R. N. Woods, ed. *F. A. Hayek: Critical Assessments*(《哈耶克:批判性评述》四卷本),London and New York:Roufledge,1991.

18. J. Bimer and R. van Zijp, ed. *Hayek, Coordination and Evolution*(《哈耶克,协调和进化》),London:Roufledge,1994.

19. R. Kley. *Hayek's Social and Political Thought*(《哈耶克的社会思想和政治思想》),Oxford:Clarendon Press,1994.

20. M. Colona and H. Hageman. *The Economics of Hayek*, vol. 1: *Money and Business Cycles* (《哈耶克的经济学,第一卷:货币与商业循环》), Hanks: Edward Elgar,1994.

21. Chris M. Sciabarra. *Marx, Hayek, and Utopia* (《马克思、哈耶克和乌托邦》),State University of New York Press,1995.

22. S. Frowen, ed., *Hayek the Economist and Social Philosopher: A Critical Retrospect*(《作为经济学家和社会哲学家的哈耶克:一种批判性考察》),London:Macmillan,1995.

23. S. Fleetwood. *Hayek's Political Economy: The Socio-economics of Order*(《哈耶克的政治经济学：社会经济秩序》), London and New York: Routledge, 1995.

24. J Shearmur. *Hayek and After: Hayekian Liberalism as a research programme*(《哈耶克及其以后：作为一种研究纲领的哈耶克式自由主义》), London and New York: Roufledge, 1996.

25. Andrew Gamble. *Hayek: The Iron Cage of Liberty*(《哈耶克：自由的铁笼》), Westview Press, 1996.

26. Gerald P. O'Driscoll, Jr. and Mario J. Rizzo. *The Economics of Time and Ignorance*(《时间与无知的经济学》), London and New York: Routledge, 1996.

27. Lord Radeliffe. *Law and the Democratic State*(《法律与民主国家》), Holdsworth Lecture, Birmingham: University of Birmingham, 1955.

28. W. Butos. "Hayek and General Equilibrium Analysis"("哈耶克与一般均衡分析"), *Southern Economic Journal*, 52(1985, October).

29. Gilbert Ryle. "Knowing How and Knowing That"("知道如何与知道那个"), *Proceedings of the Aristotelian Society*, 46(1945～1946).

30. M. Polanyi. *Personal Knowledge*(《个人知识》), London: Roufledge & Kegan Paul, 1958.

31. M. Polanyi. *The Tacit Dimension*(《默会向度》), London: Roufledge & Kegan Paul, 1966.

32. M. Oakeshott. *Rationalism in Politics*(《政治学中的理性主义》), London: Methuen, 1962.

33. Mary Gregor. *Laws of Freedom*(《自由的法律》), Oxford, 1963.

34. Brumo Leoni. *Freedom and the Law*(《自由与法律》),Princeton, 1961.

35. M. J. Lacey and K. Haakonssen, ed. *A Culture of Rights*(《一种权利的文化》),Cambridge University Press,1991.

36. Robert L. Cunningham, ed. *Liberty and the Rule of Law*(《自由与法治》), Texas A&M University Press,1979.

37. Peter J. Boettke, ed. *The Legacy of Friedrich von Hayek*(《哈耶克的遗产》三卷本),Cambridge University Press,1999.

38. 霍伊:《自由主义政治哲学》,刘锋译,三联书店 1992 年版。

39. 邓正来:《自由与秩序:哈耶克社会理论的研究》,江西教育出版社 1998 年版。

40. 邓正来:《法律与立法的二元观》,上海三联书店 2000 年版。